POKER
VOOR BEGINNERS

TEXAS HOLD'EM

Armijn Meijer, Sijbrand Maal, Johan Rensink,
Luitzen Tjalle van der Sluis

TIRION SPORT

Dit boek is gepubliceerd door
Tirion Uitgevers BV
Postbus 309
3740 AH Baarn

www.tirionuitgevers.nl

Omslagontwerp: Hans Britsemmer, Kudelstaart
Omslagfoto: Jack Tillmanns
Vormgeving binnenwerk: Mat-Zet, Soest
Illustraties: Louis Radstaak

ISBN 978 90 4390 902 0
NUR 492

Inhoudsopgave

Voorwoord

Het is ongelooflijk hoe snel de ontwikkelingen gaan in pokerland. Toen ik in 1998 met pokeren begon, zaten Armijn Meijer en ik vaak als enige 'serieuze' spelers aan de pokertafels in het Holland Casino Amsterdam. Poker was in Nederland zeer klein. Dit was de enige legale pokerpartij in Nederland, en vrijwel nooit werden er meer dan drie tafels bespeeld; vrijwel nooit speelden meer dan 50 mensen tegelijkertijd poker in Nederland. Internetpoker bestond nog niet en poker werd door vrijwel iedereen gezien als simpelweg 'gokken'. In die setting zaten Armijn en ik elkaar vaak maar wat aan te kijken, beiden braaf wachtend op een tophand – in de hoop dat we door onze ietwat losse, minder analytische opponenten zouden worden afbetaald.

Het is nu acht jaar later en poker is in Nederland booming. Internetpoker is populairder dan ooit: er spelen nu duizenden mensen in Nederland dagelijks of vrijwel dagelijks poker. De Eurosport EPT uitzendingen trekken meer kijkers dan een gemiddelde voetbalwedstrijd en Nederlandse spelers timmeren wereldwijd aan de weg door toernooien te winnen of dure cash games te verslaan. Tegelijkertijd zijn ook Armijn en ik niet meer de kleine jongens van weleer en hebben we meer bereikt dan we ooit voor mogelijk hadden gehouden. Armijn heeft in no-time de toonaangevende pokersite van Nederland uit de grond gestampt: www.pokerinfo.nl. Een site gemaakt met liefde voor het spel, met als doel mede-pokeraars te helpen en de populariteit van het spel verder te vergroten. Vele loyale volgers en bezoekers hebben zich met behulp van Pokerinfo opgewerkt tot succesvolle (lees: winnende) pokeraars die hiervoor ruimschoots dank hebben betuigd aan Armijn en zijn team.

Voor jullie ligt dan nu de volgende stap: het eerste Nederlandstalige pokerboek speciaal gericht op nieuwe, jonge spelers. Toen ik zelf begon met schrijven over poker in tijdschriften als CardPlayer, zo'n vijf jaar geleden, was het nog ondenkbaar dat een in het Nederlands geschreven pokerboek enige kans van slagen zou hebben. Maar nu is er dus *Poker voor beginners: Texas Hold'em*, geschreven door Armijn, Johan, Sijbrand en Luitzen. Een boek geschreven met hart voor het spel en met maar één doel: iedere in poker geïnteresseerde helpen om snel op (redelijk) hoog niveau te komen. Op hun gebruikelijk serieuze en duidelijke manier geven ze alle informatie die nodig is om op een hoog niveau te kunnen (gaan) spelen, verteld op een eenvoudige en plezierige manier. Ik ben ervan overtuigd dat dit boek een echte bestseller gaat worden en, nog belangrijker: dat een grote groep Nederlandse pokeraars Armijn en zijn ploeg zéér dankbaar zullen zijn voor het uitbrengen ervan.

Rolf 'Ace' Slotboom

Rolf Slotboom is de officieuze Nederlands Kampioen Poker 2005, en Nederlands bekendste strategie-analist. Zijn boeken Hold'em On The Come *en* Secrets of Professional Pot-Limit Omaha *zijn wereldwijd uitgebracht. Rolf is de pokercommentator van Eurosport, en eindredacteur van* CardPlayer Europe.
Voor meer info zie www.rolfslotboom.com.

Inleiding

Wat leuk dat je ons boek ter hand neemt! We zijn behoorlijk trots op dit boek, omdat we er met bloed, zweet en tranen aan hebben gewerkt, want eigenlijk zijn we geen echte schrijvers. Tenminste niet voordat we aan dit project begonnen.

Hoe en waarom zijn we dan in hemelsnaam op het idee gekomen om een boek te maken? (Ieder van onze auteurs moet hier bekennen dat hij zich dit tijdens het schrijven vaak heeft afgevraagd.)

Het antwoord is eigenlijk heel simpel: poker is hot. Poker is booming. En ook in Nederland (waar toch al zo'n honderdduizend mensen pokeren) nemen de aantallen pokerspelers per dag toe. Pokertoernooien worden op tv uitgezonden en de Nederlanders blijken in staat ze te winnen. Maar toch blijft het spel voor veel mensen een mysterie en dat vinden wij zonde. Want poker is een prachtig spel dat heel simpel oogt, maar waarachter een enorme diepte schuilgaat.

Wij hebben ons hart verloren aan, en ons fortuin vergaard met het pokerspel. Nou ja, dat vergaren van fortuinen gaat de een wat beter af dan de ander, maar we delen allemaal de passie voor het spel. En die willen we delen met een breder publiek.

Er zijn al eerder boeken geschreven over poker, sterker nog, er zijn tientallen boeken geschreven over Texas Hold'em alleen en daarvan zijn de meeste nog goed ook. Maar ze zijn wel allemaal in het Engels geschreven, en bijna zonder uitzondering in Amerika uitgegeven.

Gezien de stijgende popolariteit van poker werd het hoog tijd voor een Nederlandse uitgave. Om ons heen hoorden wij de roep om een

Nederlands pokerboek en wij vroegen ons af waarom niemand daar gehoor aan gaf. Na verloop van tijd begon het idee in onze hoofden te spelen om zelf maar de stoute schoenen aan te trekken.

Terugkijkend op die beslissing zijn we absoluut blij dat we haar genomen hebben, hoewel de weg niet altijd even makkelijk begaanbaar was. In ieder geval hopen we dat je het resultaat kunt waarderen.

We hebben dit boek vooral geschreven voor de beginnende speler die niet alleen kennis wil maken met het pokerspel waar wij zo enthousiast over zijn, maar die dat spel ook goed wil leren spelen. Ben je een gevorderde speler die met regelmaat tafels aanveegt, dan zijn de concepten in dit boek voor jou waarschijnlijk al ouwe kost. Toch kan het ook dan geen kwaad je basiskennis nog eens op te vijzelen. Ben je een beginner, die niet geheel onbeslagen ten ijs wil komen, dan zul je het meeste baat hebben bij dit boek. Aan de hand van geïllustreerde voorbeelden leggen we je niet alleen de regels van het spel uit, maar leren we je ook de strategische kneepjes van het vak, die je nodig hebt om winnend poker te kunnen spelen.

Wie weet ben jij straks de nieuwe ster aan de Nederlandse pokerhemel!

Natuurlijk willen we onszelf niet als 'sterren' betitelen. Maar aangezien wij hopen van jou een goede pokerspeler te maken, moet je er wel op kunnen vertrouwen dat we weten waarover we schrijven. Dus een korte introductie van het schrijversteam is misschien wel op zijn plaats. Dat we 'alle wijsheid in pacht hebben' zou schromelijk overdreven zijn (over poker raak je nooit uitgeleerd), maar onder de schrijvers valt wel zo'n dertig jaar pokerervaring te verdelen.

Tijd om nader kennis te maken.

Armijn Meijer

Oprichter van www.pokerinfo.nl, de grootste pokercommunity van Nederland. Armijn heeft het werkende bestaan gedag gezegd om zich de hele dag te kunnen wijden aan de dingen in het leven die hém aanstaan. Uiteraard staat poker hoog op zijn lijstje. Ooit werd die plek ingenomen door blackjack: in 1996 mocht hij zich Nederlands kampioen noemen en als professionele speler zette hij in 1997 een internationaal toernooi op zijn naam. Maar sindsdien is hij zich onder begeleiding van zijn moeder gaan toeleggen op het pokerspel. Op zo goed als dagelijkse basis maakten ze met z'n tweeën de pokertafels in Holland Casino jarenlang onveilig, totdat Armijn werd getrokken door de mogelijkheden die hij zag in de opkomst van pokeren via het internet. Dat bleek een hele goede gok en samen met Johan Rensink richtte hij de website www.pokerinfo.nl op om een thuishaven te bieden voor de Nederlandse pokerspelers.

Johan Rensink

Mede-oprichter van www.pokerinfo.nl. Johan bedacht tijdens zijn studententijd dat hij liever op een vliegtuig stapte om naar een pokertoernooi te vliegen, dan op zijn fiets om naar college te gaan. Zijn keuze is hem bijzonder goed bevallen en inmiddels mag hij zich rekenen tot de groeiende groep professionele pokerspelers. Hij was altijd al een spelletjesfanaat (zo heeft hij zich onder meer toegelegd op schaken en bezat hij ooit duizenden Magic-verzamelkaarten) en in de afgelopen negen jaar is zijn liefde voor poker tot volle wasdom gekomen. Hij blijft een fan van computerspellen en in het casino speelt hij het liefst zoveel mogelijk verschillende spelletjes, maar sinds drie jaar speelt hij serieus (en winnend) poker. Zoals gezegd speelt hij inmiddels professioneel, en hij heeft zijn *limit Hold'em* achtergrond verlaten om zich toe te leggen op *no-limit Hold'em*.

Sijbrand Maal

Ook één van de drijvende krachten achter Pokerinfo, maar dat zal geen verrassing meer zijn. Sijbrand is de beste *limit* speler van het schrijversteam (hij heeft in 2004 het *limit* event van de *Master Classics of Poker* gewonnen en in 2006 was hij finalist). Poker zit al sinds jaren in zijn bloed en hij schrijft met regelmaat artikelen over poker (Sijbrand schrijft en speelt onder de naam 'mypokerlife'). Ook in de diverse media zul je hem, als het over poker gaat, kunnen aantreffen. Zijn liefde voor poker begon in 2001 tijdens het bekijken van een pokertoernooi in het casino. De enige gedachte die bij hem opkwam was: 'Dat wil ik ook.' Na een paar maanden studie en observatie nam hij voor het eerst plaats aan de pokertafel in Holland Casino, waar destijds 20-40 (gulden) *limit* werd gespeeld. Met het maandinkomen van een student Sociale Geografie was de druk om te presteren gelijk groot. De pokergoden lachten hem toe, want in een paar uur won hij een fortuin voor studentenbegrippen. Sindsdien was Sijbrand geregeld te vinden in het Holland Casino, maar door zijn studie, baan, en de hoge *buy-ins* speelde hij niet erg vaak. De liefde voor het spel bleef echter groeien en Sijbrand was dagelijks met poker bezig. Sinds zijn overwinning op de MCOP in 2004 is Pokerinfo een groot gedeelte van zijn leven gaan uitmaken. Het besef dat poker een alsmaar grotere plek verwierf in zijn hart, heeft er uiteindelijk voor gezorgd dat Sijbrand de grote stap heeft genomen zijn baan op te geven om zich fulltime te manifesteren in de pokerwereld.

Luitzen van der Sluis

Schrijft naar eigen zeggen beter dan dat hij pokert, vandaar dat hij zich voor deze gelegenheid bij de pokerinfo-clan heeft aangesloten. Hoewel de passie voor poker ook in zijn bloed borrelt, is hij nog niet geneigd er zijn brood mee te verdienen, daarvoor wendt hij liever zijn juridische kennis aan. Toch voelt hij zich prima op zijn plek aan een *final table*, hoewel hij pas enkele jaren gegrepen is door het pokervirus. Ooit speelde hij wel in de kantine van zijn middelbare school om koffiemuntjes, maar pas tijdens zijn studententijd kreeg hij door dat het mooie spelletje lucratiever kon zijn dan een horecabaantje. Na wat aanmoediging van een mentor, die hij daarvoor nog steeds dankbaar is, besloot hij zich maar eens serieus op het spel toe te leggen. Zijn resultaten stemmen tot tevredenheid.

Kortom: we hebben er vertrouwen in dat we ons enthousiasme en onze kennis van het spel met de lezers kunnen delen. Wij beleven veel plezier aan dit mooie spel en we hopen dat jij dat na het doornemen van dit boek ook zult doen.

Hopelijk heb je er zin in, want het volgende staat je te wachten: we beginnen met een stukje over de geschiedenis en opkomst van poker, om je vervolgens wegwijs te maken in de populairste spelvorm en regels. Als je die onder de knie hebt, zullen we je voorzien van een gezonde dosis strategie, om je nieuwe kennis in het laatste deel op de proef te stellen aan de hand van praktijksituaties.

Wij wensen je veel plezier!

Onthoud:

Poker takes a minute to learn, but a lifetime to master!

1. Geschiedenis

In dit hoofdstuk zullen we kort de ontstaansgeschiedenis van het hedendaagse poker bekijken en de snel groeiende populariteit van dit mooie spel proberen te verklaren. We hopen dat je uiteindelijk net zo enthousiast wordt over poker als de schrijvers van dit boek, om zo een glansrijke toekomst tegemoet te gaan aan de pokertafel!

1.1 Geschiedenis van het poker

Eigenlijk is poker een naam voor een hele verzameling spellen. Er is ook geen duidelijke oorsprong aan te wijzen, maar de tegenwoordige spelvarianten herbergen een keur aan elementen van pokerachtige spelen uit vroeger tijden.

Natuurlijk wordt er driftig gediscussieerd over wie met de eer mag strijken: de meningen over waar het spel poker ontstaan zou zijn, lopen dan ook wijd uiteen. Diverse bronnen wijzen op vroege vormen van pokerspelen die ontstonden rond 900 na Christus in China, waar onder anderen de keizer Mu-Tsung 'Domino Cards' speelde met zijn vrouw.

Een andere wijdverbreide theorie is dat het tegenwoordige poker is afgeleid van een spel dat de Fransen in 1480 speelden, het zogenaamde 'Poque'. Bieden en *bluffen* waren belangrijke onderdelen van dit kaartspel, waarbij het *deck* (de kaarten) al zou bestaan uit schoppen, harten, ruiten en klaveren.

Zelfs onze oosterburen claimen het pokeren te hebben uitgevonden, waarmee ze doelen op het 'Pochspiel', dat al eeuwen in Duitsland gespeeld zou worden.

Hoewel het dus moeilijk is precies aan te wijzen waar het spel is ontstaan, staat wel vast dat het pokeren in de Verenigde Staten tot bloei is gekomen. Schrijver Jonathan H. Green verwijst al in 1834 naar een 'cheating game' dat werd gespeeld op de rivierboten die op de Mississippi voeren. Hij noemde dit spel poker. In dit spel kaarten werden twintig kaarten gebruikt: vier tienen, vier boeren, vier vrouwen, vier heren en vier azen. Elke speler (minimaal twee en maximaal vier) kreeg vijf kaarten, waarna werd ingezet op wie de hoogste hand maakte. Het pokeren werd al snel erg populair in de staten Mississippi en Ohio en het duurde niet lang voordat het Engelse *deck* met 52 kaarten werd gebruikt. Mede door buitenlandse invloeden ontstonden diverse varianten en toen de burgeroorlog uitbrak werd het onder Zuidelijke soldaten populaire spelletje wijdverspreid over de staten.

1.2 Poker is booming

Vanaf 1910 werd er *draw-poker* gespeeld in Las Vegas. Dit pokerspel groeide uit tot een van de populairste spelen in de gokhoofdstad van de wereld. In de rest van de Verenigde Staten werden kansspelen echter door strenge wetgeving aan banden gelegd.

De grondslag voor de populariteit van het moderne poker werd eigenlijk pas in de jaren zeventig gelegd. Benny Binion begon toen met het organiseren van de wereldkampioenschappen poker: de *World Series of Poker* in Binion's Horseshoe in Las Vegas. In de *World Series* is de faam van sommige pokerspelers tot legendarische hoogte gestegen en ook vandaag de dag zijn de *World Series*-toernooien hét slagveld van de wereldtop en iedereen die daartoe wil gaan behoren.

De winnaar van een *World Series*-toernooi wordt, behalve met een flinke stapel geld, beloond met een *bracelet*. Deze armbandjes behoren dan ook tot de kostbaarste bezittingen van de besten onder de pokerspelers.

Op het moment delen Johnny "The Orient Express" Chan, Phil Hellmuth en Doyle "Texas Dolly" Brunson de eer die het bezitten van de meeste armbanden met zich meebrengt: allen hebben reeds tienmaal een *WSOP*-evenement gewonnen.

Het succes van de *World Series of Poker* heeft in hoge mate bijgedragen aan de enorme toename in populariteit van poker in de afgelopen jaren. Dankzij de spannende televisie-uitzendingen die de toernooi-en opleveren (de kijkers kunnen door middel van kleine camera's thuis meekijken in de kaarten van de spelers) bereikt poker een steeds breder publiek. Met name de succesverhalen van een nieuwe generatie pokerspelers inspireren hordes jonge mensen om hun geluk en vaardigheid op het groene laken te beproeven. Zo won in 2003 de 26-jarige accountant Chris Moneymaker het *main event* van de *WSOP*: het *no-limit Texas Hold'em*-toernooi met een inleg van maar liefst 10.000 dollar. Die inleg heeft hij niet zelf hoeven betalen, omdat hij zich in een toernooi van een online *pokerroom* kwalificeerde. Zijn inleg voor dat toernooi bedroeg slechts 39 dollar, die hij meer dan vervijftigduizendvoudigde door de eerste prijs van 2,5 miljoen dollar te winnen!

Deze it's anybody's game-factor draagt bij aan de hype die het pokeren letterlijk over de hele wereld doormaakt, hoewel hype misschien niet helemaal het juiste woord is. Want poker is een blijvertje. Miljoenen spelers uit alle landen ter wereld kunnen het nu dankzij het internet dagelijks tegen elkaar opnemen in online *pokerrooms*. Hierdoor is de aanwas van nieuwe spelers zo groot geworden dat nieuwe *pokerrooms* als paddenstoelen uit de grond schieten.
In bijna elk respectabel casino kun je tegenwoordig een kaartje leggen of zijn er plannen om een *pokerroom* te openen dan wel uit te breiden om aan de vraag te voldoen.
In de online *pokerrooms* kun je het pokerspel beoefenen tegen andere spelers, zodat de stap naar de tafels in het casino een stuk makkelijker wordt. Er zijn ook talloze spelers die zich alleen op het internet uitleven: ze hoeven er de deur niet voor uit, ze zijn dichter bij hun eigen koelkast en je hebt niet eens een echt *pokerface* nodig. Anderen ervaren dat juist als een nadeel: immers, een monitor kan nooit het sociale gebeuren van het samen aan de pokertafel zitten vervangen, en online kan het moeilijker zijn je tegenstanders juist in te schatten. Omdat op het internet spelers ook ervaringen, tips en strategieën uitwisselen op fora, komen steeds meer spelers beter beslagen ten ijs en wordt de kwaliteit van de spellen in het algemeen steeds hoger. Daarnaast zijn er ook magazines, dvd's, films en tientallen boeken waar spelers zich in kunnen verdiepen om hun spel te verbeteren. Uiteraard hopen wij je met dit boek al een heel eind in de goede richting te helpen.

De media kunnen ook niet meer om de aanstormende pokerhype heen, dus er verschijnen met enige regelmaat artikelen over poker en pokerspelers in kranten en magazines. Want zelfs in Nederland spelen nu al ruim honderdduizend mensen poker en er komen dagelijks vele spelers bij. Op tv kun je ook steeds vaker poker zien: al een paar omroepen zenden wekelijks programma's over grote pokertoernooien uit en in de nabije toekomst zullen meer televisiezenders hun aanbod uitbreiden met programma's over poker.

Omdat poker bij het grote publiek nog niet echt bekend is, weten niet zoveel mensen dat Nederland heel aardig meedoet in de pokerwereld. Regelmatig verschijnen er Nederlanders aan de finaletafels van grote evenementen en in 2005 won de Nederlandse pokerspeler Rob Hollink de finale van het Europees Poker Toernooi. Hij bleek sterker dan de concurrentie in dit prestigieuze toernooi te Monte Carlo en kon zo bijna 700.000 euro toevoegen aan zijn banksaldo. Pokerprofessional Marcel Luske, een van de grootste pokerspelers van Nederland, is in Amerika misschien wel bekender dan in ons eigen land. Hij heeft diverse grote pokertoernooien op zijn naam staan en heeft in de wereldkampioenschappen een paar hele mooie prestaties neergezet. Zijn bijzondere speelstijl en houding aan tafel (met omgekeerde zonnebril en meestal zingend) maken hem tot een van de, in de woorden van een Amerikaanse commentator, 'most remarkable characters in poker'.
Ook doet een aantal jonge Nederlandse pokerspelers het heel erg goed: let op de namen Noah Boeken en Abel Meijberg. Zij zijn twee grote pokertalenten die de naam van ons kikkerlandje in vele toernooien vestigen en hooghouden! Ook op internet doet de 'jonge garde' van Nederland goede zaken (Noah Boeken heeft een van de grootste onlinetoernooien gewonnen) en de vraag is dan ook hoeveel Nederlanders zich dit jaar weer zullen kwalificeren voor de wereldkampioenschappen poker, de eerder genoemde *World Series of Poker*.

Met name door het aantal spelers dat zich via het internet weet te plaatsen, dijen de *World Series*-evenementen behoorlijk uit. Het afgelopen jaar waren bijna negenduizend (!) plaatsen voor het hoofdtoernooi vergeven, ondanks de inleg van 10.000 dollar. Dit leverde een prijzenpot op van zo'n 87 miljoen dollar.

Natuurlijk hadden veel spelers zich via kleinere toernooien geplaatst, want een dergelijk hoge *buy-in* is voor het gros van de spelers een rib uit hun lijf. Maar het prijzengeld in dit hoogtepunt van het pokerjaar liegt er dan ook niet om. Na tien slopende dagen pokeren wist Jamie Gold zijn laatste tegenstander blut te spelen, om zo de hoofdprijs van 12 miljoen dollar op zijn naam te zetten.

Behalve de *World Series* is er nog een aantal grote pokertoernooien. De *World Poker Tour* doet regelmatig de grote casino's aan en ook deze toernooien worden uitgezonden op de Amerikaanse televisie. Dankzij het miljoenenpubliek dat wekelijks naar de verrichtingen van de grootste pokerspelers ter wereld kijkt, trekken deze toernooien steeds grotere sponsors aan, waardoor het fenomeen alleen maar harder groeit. In Europa kennen wij behalve de *E-WSOP* (de Europese versie van de *World Series*) sinds 2004 ook de eerder genoemde Europese Poker Tour die snel aan populariteit wint. De meeste van deze toernooien raken dan ook compleet uitverkocht. Omdat voor de meeste spelers de inleg van 5000 euro (of meer) een te groot bedrag is, worden ook satelliettoernooien georganiseerd waarin spelers zich kunnen kwalificeren voor de grote toernooien voor veel lagere bedragen. Tegenwoordig zien we ook dat steeds meer spelers gesponsord worden om aan deze toernooien deel te nemen, gezien alle publiciteit die de winnaars krijgen. De media-aandacht en de associatie met de beste spelers is voor bedrijven aantrekkelijk, maar uiteraard moet je wel behoorlijk wat in je mars hebben om in aanmerking te komen voor zo'n sponsordeal.

1.3 It could be you!

Pokervaardigheden zijn absoluut te leren. Een beetje talent helpt natuurlijk altijd. Poker is een behendigheidsspel, dat voornamelijk gaat om het analyseren van je tegenstanders en hun spel. Wie het slimst speelt zal uiteindelijk als winnaar uit de bus komen. Natuurlijk is geluk een belangrijke factor, met name op de korte termijn, maar met toewijding, studie en oefening kan in principe iedereen op termijn een winnende speler worden.

'Nobody is always a winner, and anybody who says he is, is either a liar or doesn't play poker.' – Amarillo Slim

Onder de nieuwe aanwas van spelers bevinden zich dan ook veel studenten. Jongeren met een hoog opleidingsniveau, die niet terugschrikken voor een paar pagina's spelstrategie en behoorlijk wat tijd over hebben. De oude garde toernooispelers schrijven in artikelen tegenwoordig over hoe ongelooflijk jong sommige van de deelnemers er vandaag de dag uitzien, en hoe goed die 'jonkies' spelen. Maar ook als je niet in een studentenflatje zit opgehokt kan er een mooie pokercarrière voor je zijn weggelegd: het meest tot de verbeelding sprekende voorbeeld is misschien wel de Amerikaanse onlinespeelster 'WellfareMom'. Deze alleenstaande moeder van drie kinderen maakte van haar hobby een dusdanig lucratieve bron van inkomsten dat haar weggelopen echtgenoot na verloop van tijd háár voor het gerecht daagde in een (niet-succesvolle) poging alimentatie toegewezen te krijgen.

In jouw interesse voor het pokerspel hebben we wel vertrouwen, je hebt immers dit boek voor je neus liggen. Door de inhoud hiervan goed door te nemen zet je de goede stappen op het pad dat een winnende pokerspeler moet bewandelen en hopelijk zul je een deel van de benodigde kennis en vaardigheden opdoen uit de hierin besproken materie. Natuurlijk ben je er nog niet als je het boek uit hebt; sommige concepten vereisen nu eenmaal herhaaldelijke bestudering en toepassing in de praktijk. Bovendien is dit niet een uitputtende encyclopedie van alle pokerkennis, het is vooral geschreven voor onervaren pokerspelers die nog niet zullen spelen tegen doorgewinterde professionals. Naast het lezen van dit boek geldt natuurlijk dat het opdoen van ervaring onontbeerlijk is, maar gelukkig hebben we daar een oplossing voor zonder dat je met honderden euro's aan hoeft te schuiven in de 10/20 game in het dichtstbijzijnde casino.

We hopen dat je een hoop plezier zult beleven aan het doorgronden van ons pokerspel. Misschien ben jij wel het nieuwe pokertalent van Nederland en sleep jij als eerste Nederlander een WSOP-bracelet in de wacht. Zoals gezegd, we hebben vertrouwen in je! Beschik je over een beetje leergierigheid, toewijding en wat lef? Wil je graag je tegenstanders in het spel te slim af zijn? Schuif maar aan tafel. Want op de pokertafel komen iemands ware karaktereigenschappen wel bovendrijven en onderscheidt het kaf zich van het koren aan de hand van zijn of haar spel.

'At the pokertable, a man's true colors show'

Maar voordat je begint, zet het gezegde over 'het spel en de knikkers' maar uit je hoofd. Want hoewel er bij poker niet per definitie om 'knikkers' wordt gespeeld, draait het er wél altijd om wie wint. Natuurlijk is plezier in het spel het belangrijkst – we zullen niemand aanraden dingen te doen die hij of zij niet leuk vindt. Een avond met vrienden, een goed gevulde koelkast en een koffer met *pokerchips* en kaarten is ook voor ons het recept voor een wereldtijd. Over het spelen van je beste spel hoef je je dan meestal geen zorgen te maken. Maar bij elke game waar je echt zit om te winnen, zul je, als je net zo bent als wij, een nog groter plezier halen uit het gevoel de beste speler aan tafel te zijn. Je tegenstanders 'outplayen' en het respect van je medespelers verdienen – er is niet één succesvolle pokerspeler die níét beschikt over een flinke dosis wil-om-te-winnen en er géén genoegen in schept de buit in de wacht te slepen. Komt die wil je bekend voor? Wil jij je volgende pokergame 'aanvegen'?

Laten we dan aan de slag gaan, want er valt een hoop te leren!

2. Spelregels en -vormen

In dit hoofdstuk willen we je wegwijs maken in de wondere wereld van het pokeren. We leggen de regels uit van de populairste spelvorm, die we aan de hand van illustraties en voorbeelden verduidelijken. We gebruiken zoveel mogelijk het originele (Engelse) jargon, want mocht je een speler van wereldformaat worden, dan is het handig als je de internationale concurrentie begrijpt. Al het jargon wordt *schuin gedrukt* en is terug te vinden in de begrippenlijst achterin in dit boek. Natuurlijk zullen we alle begrippen ook uitleggen in de tekst, zo mogelijk waar we ze introduceren. Ook hebben we besloten vast te houden aan de Engelse termen *check, call* en *fold* (beurt doorgeven, meegaan en weggaan), en ze te vervoegen als Nederlandse werkwoorden. Het is even wennen, maar zo vermijden we taalverwarring.

2.1 Vormen van poker

De meeste mensen bij wie een belletje gaat rinkelen als ze het woord poker horen, denken aan de pokervorm die van oudsher werd gespeeld in schoolkantines, aan keukentafels en in louche kroegen uit westerns: 'Five card draw'. Deze vrij simpele vorm van poker, met twee biedrondes en één mogelijkheid om kaarten in te wisselen, is slechts één van vele honderden pokervarianten die er bestaan. Hoewel de regels van de verschillende vormen net zo ver uiteenlopen als de soms exotische namen ervan (zoals 'Baseball', 'Follow-the-Queen', 'Pineapple' en 'Triple-draw-lowball', om er maar een paar te noemen), is er een aantal basisprincipes dat de meeste varianten delen.

Het spel wordt gespeeld in rondes, die we 'handen' noemen. Elke hand poker wordt in het algemeen gespeeld om een *pot*, die in biedrondes wordt gevormd door de inzetten van spelers. Iedere speler krijgt een aantal kaarten, waarna een of meerdere inzetronden volgen.

De *pot*, die kan bestaan uit lucifers, knoopjes, kleingeld, *pokerchips* of zelfs stapels bankbiljetten, kan op twee manieren worden gewonnen. Als er maar één iemand inzet en niemand gaat mee, is de overgebleven speler de winnaar van de *pot*. Gaan er meerdere spelers mee in de biedronde(s), door inzetten van gelijke hoogte te plaatsen, dan is de speler die de hoogste combinatie van (doorgaans vijf) kaarten kan tonen de winnaar van de *pot*.

2.2 Texas Hold'em

De pokervorm waarover dit boek zal gaan (en waar de schrijvers hun hart aan verloren hebben) is Texas Hold'em. Deze pokervariant, die razendsnel toeneemt in populariteit, wordt gespeeld op alle grote internationale toernooien, de *World Series of Poker* (het officieuze wereldkampioenschap) en in talloze online pokerrooms. In Nederland organiseert Holland Casino eenmaal per jaar de internationaal gerenommeerde Master Classics of Poker (vanaf 2006 uitgezonden op tv). Ook houden de meeste vestigingen maandelijkse of zelfs wekelijkse toernooien op kleinere schaal (met een *buy-in* die niet alleen is weggelegd voor de wereldtop). Hoewel de regels van Texas Hold'em betrekkelijk eenvoudig zijn, gaat achter dit op het oog makkelijke spelletje een enorme strategische diepgang schuil. Een door pokerspelers veel geroepen cliché luidt dan ook:

'It takes a minute to learn, but a lifetime to master.'

In Texas Hold'em is de winnende hand de hoogste combinatie van vijf kaarten die je vormt uit de kaarten die je ter beschikking staan (dat zijn er zeven, maar daar komen we straks op terug). De volgorde of ranking van de combinaties is erg belangrijk en iedere speler hoort deze te kunnen dromen. Het zou je een aardige *pot* kunnen schelen als je tijdens een spelletje na moet vragen of jouw flush een straight zou verslaan, ook zou het je heel veel chips kunnen kosten als jij denkt dat een full house beter is dan een four of a kind.

2.2.1 Ranking

Het laagste trapje op de ladder is de *high card*: als geen van de spelers in de hand ook maar een paar heeft gemaakt, wordt er eenvoudigweg vergeleken wie de hoogste kaart (of kaarten) vastheeft.

High card

Een tikje beter is het maken van een paar (*pair*): twee dezelfde kaarten. Tussen paren bestaat weer een eigen rangorde, maar die is niet bijzonder lastig. Een paar azen is het hoogst en een paar tweeën is het laagst.

Pair

Het wordt nog leuker als je twee paren (*two pair*) maakt: twee verschillende paren in één hand. Ook hier bestaat een rangorde: degene die het hóógste paar in zijn hand heeft wint.

Two pair

Twee paar wordt op zijn beurt weer verslagen door *three of a kind*, ook wel *trips* genoemd. Het zijn drie dezelfde kaarten in een hand.

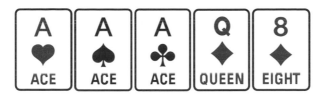

Three of a kind

Om *three of a kind* te verslaan zul je minimaal een straat (*straight*) moeten maken: vijf kaarten van opeenvolgende waarde, waarbij *suit* (soort: dus schoppen, klaver, ruiten, of harten) niet van belang is. De rangorde van straten onderling wordt bepaald door de hoogste kaart van de straat. De 'suit' van de hoogste kaart is niet van belang.

Straight

Let erop dat voor het tellen van een *straight* een aas zowel de hoogste als de laagste kaart van het *deck* is! Zo is A2345 de laagste straat die gemaakt kan worden en TJQKA de hoogste. Doortellen, bijvoorbeeld QKA23 mag niet: je hebt dan alleen een *high card*, de Aas.

Weer hoger dan een straat is de *flush*: vijf kaarten van eenzelfde *suit*. Tussen *flushes* onderling telt welke kaarten in de *flush* zitten, een *flush* met een aas erin is hoger dan een *flush* met een koning.

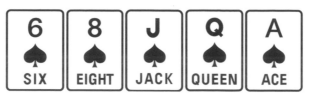

Flush

Een *full house* verslaat de *flush* en alles daaronder: het is een hand met een *three of a kind* én een *pair*. De rangorde onderling wordt bepaald door hoogte van de kaart waarvan er drie in de *full house* zitten en daarna pas door de hoogte van het paar.

Full house

Four of a kind, ook wel *quads* genoemd, is weer een trapje hoger dan de *full house*: het zijn vier kaarten van gelijke waarde in één hand, waarvan de hoogte bepalend is in het (zeldzame) geval dat er meerdere spelers een *four of a kind* maken.

Four of a kind

De *straight flush* verslaat zelfs de *four of a kind*: Het zijn vijf kaarten van dezelfde *suit* én van opeenvolgende waarde, waarbij weer geldt dat de onderlinge rangorde wordt bepaald door de hoogste kaart in de *straight flush*.

Straight flush

De hoogst mogelijke combinatie van kaarten die valt te maken wordt de *royal flush* genoemd: dit zijn de tien, boer, vrouw, heer en aas van één en dezelfde *suit*.

Royal flush

Dit is de moeder van alle pokerhanden, een hogere combinatie is er niet, je kan de hand niet meer verliezen, de *pot* is voor jou (maar laat je enthousiasme niet te vroeg merken), je tegenstanders zullen het schip ingaan. Prijs jezelf gelukkig.

Helaas komt een *royal flush* slechts zéér zelden voor. Daarmee komen we meteen aan de verklaring voor deze oplopende waarden van handen: de combinaties staan hoger op de ladder naarmate ze zeldzamer zijn. Natuurlijk is dat niet het geval in de onderlinge rangorde van bijvoorbeeld paartjes, want de kans dat je een paar achten wordt toebedeeld is even groot als de kans op een paar azen. Maar een rangorde is nu eenmaal nodig, dus zijn er waarden aan de kaarten toegekend.
De wiskundige rechtvaardiging van de ranking besparen wij jou als lezer, gebruik die tijd liever om je de ranking goed in te prenten!

2.3 Gameplay

Zoals gezegd zul je wanneer je aan het eind van de laatste biedronde de hoogste combinatie van kaarten laat zien de hand winnen. Maar hoe gaat het krijgen van die kaarten in z'n werk? Eerder hebben we al genoemd dat je een combinatie moet vormen van vijf kaarten, uit de zeven die je tijdens de laatste biedronde ter beschikking staan.

Om te beginnen krijgt iedereen bij *Texas Hold'em* twee kaarten. Het delen gebeurt vanaf de *dealerbutton* (of gewoon *button*), doorgaans een wit plastic schijfje met een D of het woord *Dealer* erop. In *games* zonder croupier is de persoon bij wie de button ligt degene die daadwerkelijk deelt. Hij of zij begint dan met delen bij de persoon die links van de *button* zit. Iedereen krijgt eerst één kaart, eindigend bij de *dealer*, en vervolgens de tweede kaart, weer eindigend bij de *button*. Als er wel een croupier of vaste *dealer* aan tafel zit, deelt deze op dezelfde wijze, steeds beginnend bij de persoon op de plek links van de *button* en eindigend bij de *button*. Na elke hand schuift de *button* een plek op, naar de speler links van de speler die hem daarvoor had.

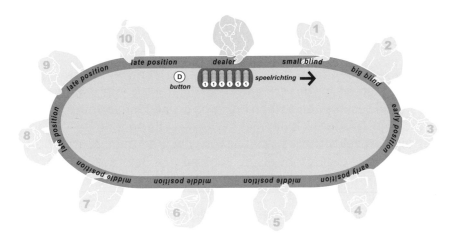

Als iedereen zijn twee kaarten (ook wel je hole cards of down cards genoemd) heeft gekregen begint de eerste biedronde. Op de bied-rondes en het inzetten gaan we verderop uitgebreid in, eerst leggen we de structuur van een handje poker uit. Voor nu volstaat de opmerking dat een biedronde eindigt wanneer de inzet van iedereen gelijk is.

Na de eerste biedronde worden de eerste drie *community cards* gedeeld. Deze gemeenschappelijke kaarten worden in het midden van de tafel opengedraaid, want ze zijn te gebruiken door elke speler. Het is gebruikelijk dat de *dealer*, voordat hij *community cards* deelt, de bovenste kaart van het *deck* afneemt en terzijde schuift. Dit zogenaamde *burnen* is van oudsher een bescherming tegen gemarkeerde kaarten en ook al wordt er met gloednieuwe kaarten gespeeld, er wordt aan deze traditie ook vandaag de dag geen afbreuk gedaan.

Deze eerste drie *community cards* worden wel gezamenlijk de *flop* genoemd. De *flop* is een belangrijk moment in een handje Hold'em: er staan nu iedere speler vijf kaarten ter beschikking (twee hole cards en drie *community cards*) en het (gebrek aan) potentieel van ieders hand begint zich af tekenen. Er volgt een tweede biedronde.

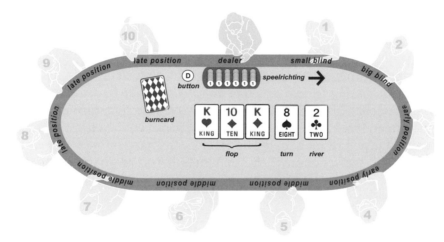

Na de tweede biedronde komt de vierde gemeenschappelijke kaart, de zogenaamde *turn*, op tafel rechts naast de drie kaarten van de *flop*. Ook voor het delen van deze kaart dient de deler weer een *burncard* af te nemen. Nu staan de spelers zes kaarten ter beschikking en wordt weer duidelijker hoe je hand zich ontwikkelt. De derde biedronde volgt.

Na de derde biedronde komt de laatste gemeenschappelijke kaart op tafel. Ook nu neemt de *dealer* weer een *burncard* af alvorens de *river* (de vijfde gemeenschappelijke kaart) open te draaien naast de vier kaarten van de *flop* en de *turn*. Nu staan de spelers al de zeven kaarten ter beschikking waaruit de hoogst mogelijke combinatie van vijf kaarten hun uiteindelijke hand is. Nu volgt de vierde en laatste biedronde en zal bekend worden wie de *pot* krijgt.

2.4 Wie wint er?

Het moment na de laatste biedronde waarop de overgebleven spelers hun handen gaan tonen wordt de *showdown* genoemd: het moment suprême van de hand, waarop bewezen wordt of je de hand juist hebt gespeeld, je tegenstanders goed hebt ingeschat en de goede beslissingen hebt genomen. Het komt echter niet altijd tot een *showdown*. Zoals eerder gezegd kan een speler een hand ook winnen door eenvoudigweg in te zetten. Het zal vaak voorkomen dat de medespelers hun eigen hand niet zien zitten en niet meegaan met de inzet: blijft een speler als enige over in een hand, dan is hij de winnaar van de *pot*.

Natuurlijk is het spannender als er wel een *showdown* plaatsvindt! Om de beslissing te nemen om een *showdown* aan te gaan, moet je wel het *board* (de vijf gezamenlijke kaarten van *flop*, *turn* en *river*) goed leren lezen. Met het lezen van het *board* bedoelen we niet alleen dat je goed kunt bepalen hoe sterk jouw hand is, maar ook welke handen sterker zouden zijn dan jouw hand. Vergissingen op dit vlak kunnen je inzetten schelen, of vaak zelfs de hele *pot*.

Een paar makkelijke situaties:

Voorbeeld 1

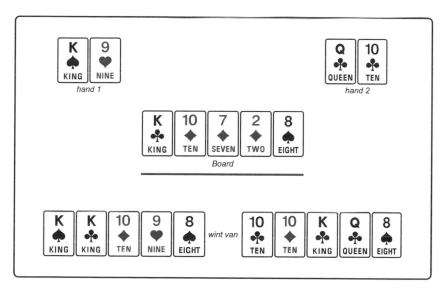

Two pair:

Voorbeeld 2

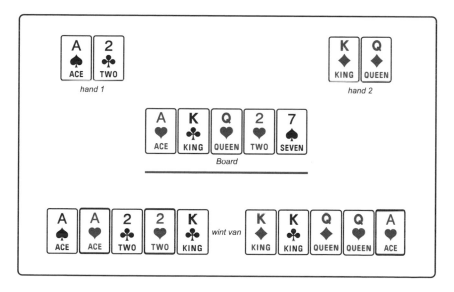

Hierbij moet je wel opletten dat mensen ook twee *pair* maken als er op het *board* een *pair* komt te liggen!

Voorbeeld 3

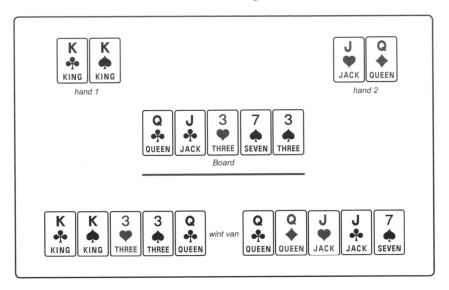

De *kicker*:

Voorbeeld 4

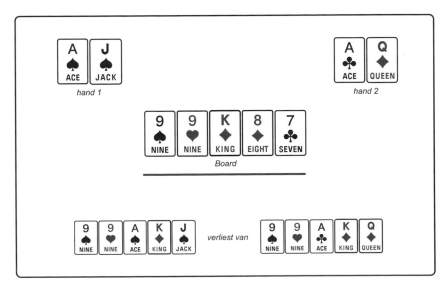

We zien hier een belangrijk concept: de zogenaamde *kicker* ofwel bijkaart. Beide spelers maken maar één paar: echter

verliest van

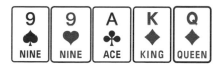

omdat het gaat om de hoogste combinatie van vijf kaarten, in dit geval het *pair* plus de drie hoogste kaarten.

Voorbeeld 5

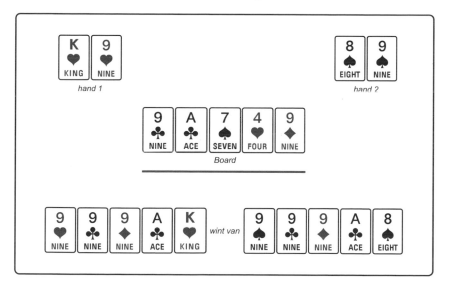

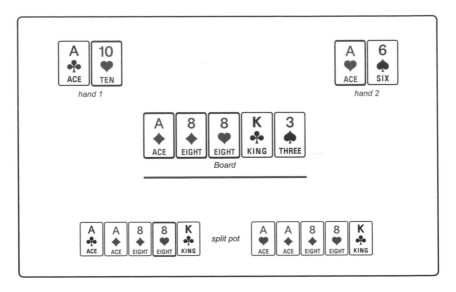

De bijkaart speelt niet altijd mee: de situatie komt voor dat (twee) spelers dezelfde combinatie van vijf kaarten maken.

Beide spelers vormen

en zullen de *pot* moeten delen. Een *split pot*, in het pokerjargon.
Een *split pot* kan ook voorkomen als mensen *trips* maken, en zelfs bij een *straight* of een *full house*!

Voorbeeld 7

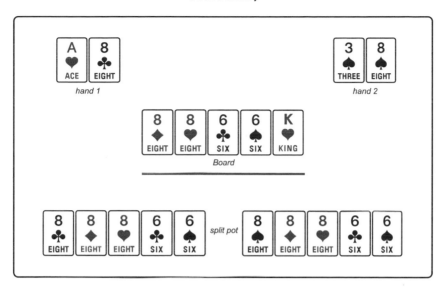

hand 1
hand 2
Board
split pot

Beide spelers maken een *full house*:

Voorbeeld 8

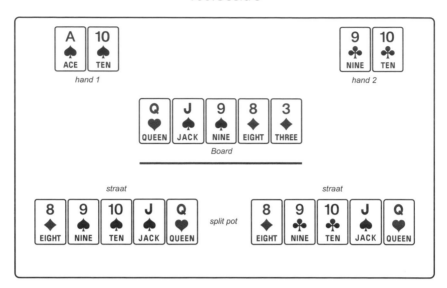

Beide spelers maken een straat:

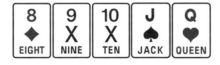

In het geval van een *flush* is er vrijwel altijd een winnaar aan te wijzen:

Voorbeeld 9

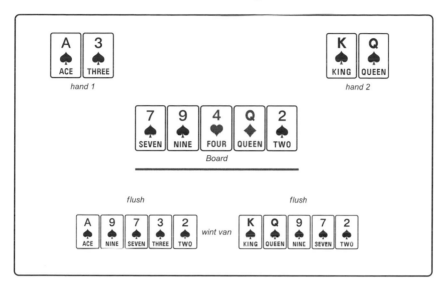

Ook als de hoogste kaart op tafel ligt:

Voorbeeld 10

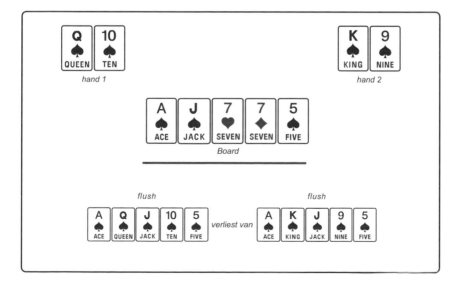

Vrijwel, zeiden we net, omdat het kan gebeuren dat de hoogste *flush* op tafel ligt:

Voorbeeld 11

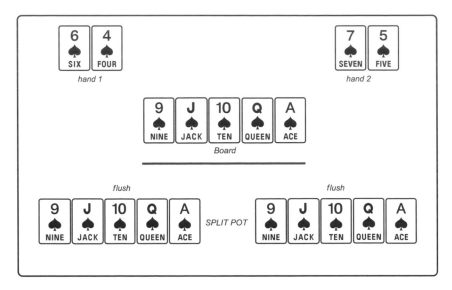

Het principe van de hoogst mogelijke combinatie van vijf kaarten zal waarschijnlijk nu wel beginnen te dagen. Het is belangrijk dat je leert te zien hoe jouw hand ervoor staat vóórdat je besluit om mee te gaan met de inzet van een ander, of om zelf in te zetten. Hier zullen we later op terugkomen. Het is tijd om te kijken hoe dat inzetten in z'n werk gaat.

2.5 Biedrondes

Zoals je net hebt gezien, kan een hand Hold'em maar liefst vier biedrondes inhouden. Iedere keer zul je beslissingen moeten nemen die het verdere verloop van de hand bepalen. Voordat we ingaan op waarom je bepaalde beslissingen moet nemen gaan we eerst eens kijken naar welke opties je hebt in een biedronde.

2.5.1 Pre-flop & Blinds

We hebben al verteld dat de *flop* een erg belangrijk moment is in een hand *Hold'em*. Het is zelfs zo belangrijk, dat we de biedrondes indelen in twee categorieën: *pre-flop* en *post-flop*.
Met *pre-flop* wordt de eerste biedronde bedoeld, die immers plaatsvindt voordat de *flop* op tafel verschijnt. Met *post flop* bedoelen we de tweede, derde en vierde biedrondes op de *flop*, *turn* en *river*.

We beginnen *pre-flop*. In deze eerste biedronde is sprake van twee verplichte inzetten, die we de *blinds* noemen. De twee spelers die links van de *button* zitten, zijn verplicht deze inzetten te plaatsen vóórdat ze hun kaarten krijgen of zien. Vandaar de naam *blinds*. De speler direct links van de *button* moet een zogeheten *small blind* plaatsen, de speler aan zijn of haar linkerzijde een *big blind*. De *big blind* is altijd even groot als de minimum inzet in de *pre-flop* biedronde, de *small blind* is daarvan doorgaans de helft en soms slechts een derde. De reden dat deze twee spelers blind een (gedeeltelijke) inzet moeten plaatsen is om ervoor te zorgen dat er in iedere hand een begin van een *pot* is waar om gespeeld kan worden. Uiteraard schuiven de *blinds* met de *button* mee naar links na elke hand, zodat in een rondje aan de tafel (ook wel *orbit* genoemd) iedereen één keer de *big blind* heeft moeten plaatsen en één keer de *small blind*.

Om het bieden goed uit te leggen, zullen we hier uitgaan van *limit Hold'em*. Dat wil zeggen dat het bieden volgens een structuur verloopt waarin de hoogte van de inzetten van tevoren is bepaald. Dit in tegenstelling tot *no-limit Hold'em*, waarin de hoogte van de inzetten vrij is. Uiteraard komen we hierop later terug.

De structuur van een *limit Hold'em*-game is niet ingewikkeld. Er zijn twee vastgestelde inzethoogtes: één voor de eerste twee biedrondes (*pre-flop* en op de *flop*) en een voor de laatste twee biedrondes (op de *turn* en *river*). Het is altijd zo dat de verhouding tussen deze twee inzetten 1:2 is, en *limit Hold'em*-games worden dan ook altijd aangeduid als bijvoorbeeld 2/4 *Hold'em*, 30/60 *Hold'em* of 100/200 *Hold'em*. Hiervoor geldt dan dat de inzetten in de eerste twee biedrondes verlopen met *bets* (inzetten) van respectievelijk twee, dertig en honderd.

De biedrondes op de *turn* en *flop* zullen dan verlopen in *bets* van vier, zestig en tweehonderd.
De *big blind* in deze spellen zal dan ook respectievelijk twee, dertig en honderd bedragen, en de *small blind* doorgaans één, vijftien en vijftig.

Aan de hand van wat voorbeelden uit een spelletje *limit Hold'em* zullen we de biedrondes doorlopen en de mogelijke acties bespreken. In de biedrondes verloopt de actie altijd met de klok mee en iedereen is verplicht op zijn beurt te wachten, om zo niet de beslissingen van anderen te beïnvloeden.

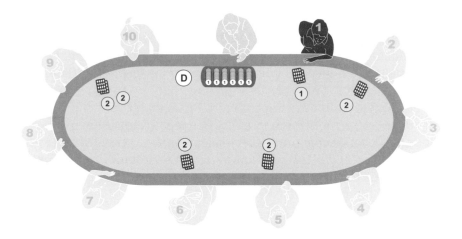

De beurt is aan de *small blind*. Maar laten we eerst even kijken wat er is gebeurd tot nu toe. De *small* en *big blind* hebben hun *blinds* van één en twee gezet. Iedereen heeft twee kaarten gekregen. Wie moet de biedronde beginnen? In de biedronde voor de flop, begint de speler die links van de *big blind* zit. Aangezien de *big blind* al in de *pot* zit, zal hij ook een *bet* van twee fiches moeten zetten om mee te gaan. Hij kan dit weigeren en zijn kaarten al wegleggen: dit heet een *fold*.
Indien hij wel meegaat en zijn *bet* plaatst spreken we van een *call*: het gelijkmaken van zijn inzet aan die van een speler rechts van hem. Behalve *callen* of *folden* kan hij echter ook *raisen*: de inzet verhogen. Hij zet dan vier, namelijk de *bet* van twee die al gezet was plus de twee die hij verhoogt. (Omdat het *limit* is, gaat het inzetten en verhogen met vaste bedragen, in dit geval met *bets* van twee.)

Terug naar het voorbeeld. De eerste twee spelers vinden hun kaarten maar niks en leggen ze dan ook weg. Zij hoeven dus geen inzet te plaatsen. De volgende speler vindt zijn hand wel het spelen waard: hij besluit tot een *call* en plaatst zijn fiche van twee. Zijn buurman doet hetzelfde, waarna de twee spelers links van hen besluiten te *folden*. De volgende speler denkt dat zijn hand beter is dan de kaarten van zijn medespelers en gaat over tot een *raise*. Daardoor moet zijn buurman vier plaatsen om mee te gaan, maar ook hij vindt zijn kaarten niet veel soeps en besluit te *folden*.

Nu zijn we aanbeland bij de *blinds*, die al een inzet hebben geplaatst. De *small blind* kan besluiten te *folden*, drie bij te zetten (een *call*) of te verhogen door het bijplaatsen van vijf, immers het weer verhogen (*re-raise*) zou nu van vier naar zes gaan en hij heeft al één geplaatst. Hij besluit echter zijn kaarten weg te gooien en ook de *big blind* (die dezelfde mogelijkheden heeft) ziet geen heil in een *call* en foldt zijn kaarten.

De twee spelers die al eerder waren meegegaan besluiten beide tot een *call* en zodoende eindigt de biedronde: alle *bets* zijn gelijkgemaakt. (De verhoger kan dus nooit zichzelf verhogen!) Ze gaan met z'n drieën de *flop* in.

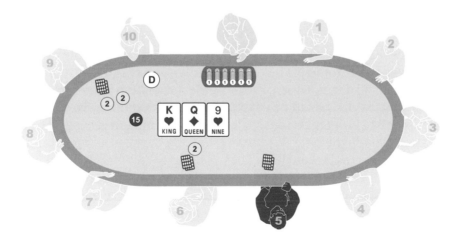

In de biedrondes op en na de *flop* begint van de overgebleven spelers de speler die links van de *button* zit, de actie gaat met de klok mee. Wat gebeurt er? De speler die moet beginnen heeft een optie die we nog niet hebben besproken: hij kan *checken*. Dat kan alléén als er nog niemand voor hem heeft ingezet in de ronde. Het houdt in dat hij het initiatief om in te zetten doorgeeft aan zijn buurman. Die heeft dan op zijn beurt, aangezien er nog niet is ingezet, ook de mogelijkheid te *checken*. (Nu zie je ook waarom deze optie net niet is besproken; omdat in de biedronde voor de *flop* er altijd al is ingezet door de *blinds* bestaat de optie om te *checken* in deze ronde niet.)

Het kan voorkomen dat er een heel rondje wordt doorgecheckt, dan neemt niemand het initiatief om in te zetten. De ronde is dan beëindigd als iedereen heeft *gecheckt*. Je kan dus nooit twee keer *checken* in een ronde! Als iedereen *checkt* wordt de volgende kaart gedraaid en begint de volgende biedronde. *Folden* mag natuurlijk altijd (als je aan de beurt bent) maar let erop dat je niet *foldt* wanneer je mag *checken*: het is goed mogelijk dat er wordt *doorgecheckt* en dan zou je een gratis kans om je hand te verbeteren mislopen!
In ons voorbeeld *checkt* de eerste speler, en zijn buurman besluit in te zetten (Hij *bet*). Dit is de tweede biedronde, dus het inzetten gaat nog per twee. (Het is immers 2/4 *Hold'em*.) De speler daarna besluit te verhogen, omdat hij nog steeds denkt dat hij wel gaat winnen. Nu moet de eerste speler vier *callen*, hij vindt dit echter te veel en besluit te *folden*.
De tweede speler kan nu *callen* en zijn *bet* gelijkmaken aan die van de verhoger, maar hij heeft ook de mogelijkheid om te *re-raisen* naar zes. Indien hij dat zou doen, kan de derde speler hem weer verhogen naar acht, en dan treedt de zogenaamde *cap* in werking. De *cap* (letterlijk de dop) wil zeggen dat spelers niet meer mogen verhogen, hen rest de mogelijkheid de *re-raise* te *callen*. De *cap* gaat in op het moment dat een speler een derde keer *raist*, hetgeen inhoudt dat er dus maximaal vier *bets* per persoon per ronde kunnen worden geplaatst. Tel maar mee. Een speler *bet*, een ander *raist* (naar twee *bets*), zijn buurman *re-raist* (naar drie *bets*), zijn buurman *re-raist* weer (naar vier *bets*). Omdat bij die laatste *raise* de *cap* in werking treedt, spreken we in dat geval ook wel van *cappen* (de laatste toegestane *raise* maken).

Terug naar ons voorbeeld. De eerste speler *foldt*, en zijn buurman *re-raist* de verhoger. Die besluit echter niet te *cappen* maar *callt* de *threebet* (verhoging van twee naar drie bets, in dit geval dus naar zes). Nu de *bets* gelijk zijn eindigt de biedronde en ze gaan met z'n tweeën naar de *turn*.

De derde en vierde biedronde (op de *turn* en *river*) verschillen van de eerste twee, in zoverre dat de inzetten in deze ronden verdubbelen ten opzichte van de eerste twee biedrondes.
Aan mogelijkheden van de spelers verandert daarentegen niets en in ons voorbeeld *checkt* de eerste speler, en de tweede speler besluit na een twijfelpauze om een bet (van vier) te plaatsen. Prompt daarop besluit de eerste speler, die nu weer aan de beurt is, om te *raisen* (naar acht). Dit is een handige move van de eerste speler om meer *bets* van de tweede speler in de *pot* te krijgen. De term hiervoor is *check-raise* en deze move zal later uitgebreid worden besproken. De tweede speler twijfelt weer, maar besluit toch te *callen*.

Er is nog een regeltje dat het vermelden waard is: in sommige casino's en *poker rooms* geldt de *cap* niet als je een biedronde begint met maar één tegenspeler. In die één-op-één-situaties (ook wel *heads-up* genoemd) kunnen spelers elkaar dus blijven *re-raisen* totdat hun fiches op zijn. We gaan er hiervan uit dat dit niet het geval is, maar het is raadzaam van dergelijke regels op de hoogte te zijn als je ergens gaat spelen.

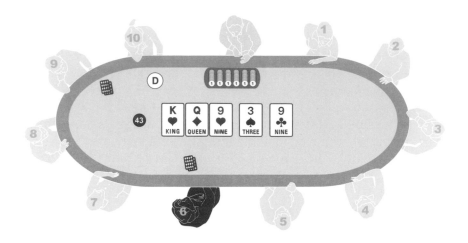

Op de *river* valt een tweede negen op het *board*. De biedronde op de *river* is hetzelfde als de biedronde op de *turn*, maar omdat alle kaarten zijn gedeeld, is je hand nu compleet (of juist niet) waardoor je een stuk beter kunt inschatten hoe je ervoor staat.

In ons voorbeeld *bet* de eerste speler, en de tweede speler *raist*, waarop de eerste speler *re-raist* en de tweede speler *capt*. De *pot* is nu aanzienlijk aangezien er op deze laatste ronde dus van beide spelers vier *bets* van vier de *pot* ingaan.
Het zou een goed teken zijn als je je tijdens het lezen van deze voorbeelden al een beetje hebt ingeleefd in de situatie van de spelers en je afgevraagd hebt met welke handen zij zo graag al die *bets* in de *pot* willen investeren. We kunnen niet genoeg benadrukken hoe belangrijk het is dat je leert zien wat de hoogst mogelijk handen zijn op een *board*, dus voordat je verder leest over de *showdown* is het een goed idee om voor jezelf te bedenken welke hand op dit *board* de absolute *nuts* (de hoogst mogelijke hand) zou zijn, welke hand daarna en daarna en zo verder. In de afwikkeling van deze hand zullen we daar nog even op ingaan.

2.5.2 De showdown

Nu de laatste biedronde eindigt omdat de inzetten gelijk zijn, komen we toe aan het moment suprême: de *showdown*. Wiens hand is het sterkste, en: het zo belangrijke gevolg, wie wint de *pot*?

Bij de *showdown* geldt dat de persoon die als laatste heeft ingezet of verhoogd als eerste zijn kaarten moet laten zien. De persoon die op het laatst *callt*, betaalt namelijk om diens kaarten te zien. In ons voorbeeld is de laatste *raise* (de *cap*) gemaakt door speler twee, die zal dus zijn kaarten als eerste om moeten draaien. Indien de hand van speler één sterker is, zal hij ook zijn hand tonen om zo te laten zien dat hij de winnaar is. Wanneer hij de hand niet gaat winnen mag hij zijn kaarten ook weggooien zonder deze te laten zien, de term hiervoor is *mucken*. In sommige *pokerrooms* en casino's is het zo dat hier een uitzondering op wordt gemaakt, en dus is het aan te raden je hiervan op de hoogte te stellen voordat je ergens gaat spelen.

Vaak gebeurt het dat de speler die er zeker van is dat hij de hand wint (bijvoorbeeld omdat hij de *nuts* heeft) als eerste zijn kaarten omdraait, ongeacht of hij de laatste *raiser* is of niet. Dit is geen probleem, zolang je maar zeker weet dat de biedronde al voorbij is! Als je tegenstander nog twijfelt over een *call*, is het natuurlijk bijzonder onhandig om hem al te laten zien of dat een goed idee is of niet.

Terug naar ons voorbeeld. Heb je je gedachten al laten gaan over de *stone-cold nuts* (absolute winnaar, er kan geen hogere combinatie worden gemaakt) in deze hand?

Hierbij moet je op een aantal dingen letten. Ten eerste liggen er geen drie kaarten van éénzelfde *suit* op tafel: een *flush* is dus niet mogelijk, en een *royal* of *straight flush* kun je dus vergeten. Wél ligt er een paar op tafel, dus *four of a kind* behoort wel tot de mogelijkheden !

De hoogst mogelijke combinatie is dan ook *quads*.

Vervolgens zou dat zijn

full house en daarna

en daarna

De rest van de lijst zou je zo zelf wel kunnen afgaan, in ons voorbeeld laat speler één klaver tien en harten boer zien voor een *straight* **9 tot K**, en draait speler twee schoppen vrouw en klaver vrouw om voor een *full house* vrouwen over negens. Hoewel speler één dus tot de *river* de best mogelijke hand had, werd daar aan afgedaan door het feit dat er een *pair* op het *board* verscheen! Dit soort situaties zal vaak voorkomen en het is dan ook zeer belangrijk om ze te leren herkennen.

2.6 Vormen van Texas Hold'em

Bij het uitleggen van de regels en in ons voorbeeld zijn we uitgegaan van een hand *limit Hold'em*. Er bestaan naast *limit* nog meer vormen van *Hold'em*, zoals *no-limit Hold'em* (dit wordt vaak gespeeld in de toernooien op televisie) en *pot-limit Hold'em*. We zullen hier kort de verschillen tussen deze spelvormen aangeven, maar verder blijven we ons richten op het *limit*-spel. Hier hebben we bewust voor gekozen, omdat we er stellig van overtuigd zijn dat een goede beheersing van het *limit*-spel dé basis is voor iedereen die een goede pokerspeler wil worden. Bovendien zijn *limit*-games een wat meer vergevingsgezinde leeromgeving dan bijvoorbeeld *no-limit* spellen; een fout in *no-limit* kost je mogelijk al je chips, in *limit* schelen fouten vaak maar een paar fiches.
De concepten en strategieën waar we je later in dit boek vertrouwd mee zullen maken zijn dan ook voornamelijk op *limit*-games van toepassing, maar natuurlijk kun je er ook in *no-limit* of *pot-limit Hold'em* veel aan hebben.

Texas Hold'em spellen worden onderscheiden aan de hand van hun inzetstructuur. Zoals we hebben gezien zijn de inzetten in een spel *li-*

mit Hold'em van tevoren bepaald (even hoog als de *big blind* in de biedrondes voor en na de *flop*, en tweemaal de hoogte van de *big blind* in de biedrondes op de *turn* en *river*), en is er een maximum aantal *bets* dat de spelers kunnen plaatsen (vier *bets* per speler per ronde, de derde *raise* is immers de *cap*). Vanwege de vastgestelde hoogte van de inzetten wordt ook wel gesproken van *fixed limit Hold'em*.

In *no-limit Hold'em* is de hoogte van de inzetten niet van tevoren bepaald. Wel zijn de blinds van een vastgestelde hoogte, (zo zijn in 5/10 *no-limit Hold'em* de *small* en *big blind* respectievelijk vijf en tien) waarbij geldt dat de hoogte van de *big blind* de minimale hoogte is van een *bet*. Het staat de spelers vrij om te bepalen hoeveel meer dan dat minimum zij willen inzetten, een speler mag zelfs ál zijn chips de *pot* in schuiven als het zijn beurt is om in te zetten. (Met andere woorden, in *no-limit* is er geen maximum inzet.) In dat geval is een speler *all-in* en kan hij niet meer *geraisd* worden (wel kan een tweede speler nog meer inzetten zodat een derde speler die *bet* moet *callen*). Indien een *all-in bet gecalld* wordt door een tweede speler en er verder geen andere spelers meer in de hand zitten, worden de kaarten van de spelers opengedraaid voordat de *flop*, *turn* en *river* worden gedraaid: immers, omdat al de chips van de speler(s) al in de *pot* zitten zijn de latere biedrondes niet meer van belang.
Aan het verhogen in *no-limit* zijn wel regels verbonden: de eerste *raiser* moet minimaal verhogen met de hoogte van de *big blind*, iemand die daarna wil verhogen moet minimaal verhogen met de hoogte van de voorgaande *raise*.

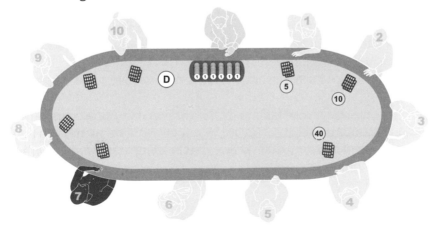

Speler moet, als hij verhoogt, minimaal 70 zetten.

45

In *pot-limit Hold'em* is de hoogte van de *bets* ook niet van tevoren bepaald; wederom geldt dat de hoogte van de *big blind* de minimuminzet bepaalt. De maximum inzet waar spelers aan gebonden zijn, wordt in *pot-limit Hold'em* bepaald door, hoe raad je het, de hoogte van de *pot*. Daarbij geldt dat de voorgaande inzetten, plus wat een speler zou moeten *callen*, de *pot* vormen met de hoogte waarvan *geraisd* kan worden. Als de *pot* in *pot-limit Hold'em* hoog genoeg wordt, kunnen zich hier ook situaties voordoen waarbij spelers *all-in* gaan.

Als de speler wil verhogen, mag dit naar maximaal 62.

2.7 Texas Hold'em in toernooien

Hoewel elke vorm van *Texas Hold'em* in toernooien gespeeld wordt, komen *no-limit Hold'em*-toernooien het meest voor. Het is ook voor de toeschouwers de meest spectaculaire vorm, gezien het feit dat spelers al hun chips in een hand erdoor kunnen jagen. Juist vanwege de ongelimiteerde *bets* kan er effectiever worden gebluft, waarmee sommige spelers wel erg ver gaan. Toernooien worden ook steeds vaker uitgezonden op tv, waarbij de toeschouwer kan meekijken in de kaarten van de spelers door kleine ingebouwde cameraatjes in het tafeloppervlak of de tafelrand.

Het verschil tussen de toernooien en normale spellen *Hold'em*, schuilt in de *blinds*. Normaal gesproken zijn de *blinds* vastgesteld voor het spel dat je hebt uitgekozen, maar in een toernooi worden de *blinds* (en dus de minimale inzetten) na verloop van tijd steeds hoger. Dit is om druk op de spelers te zetten tot actie over te gaan en om te compenseren voor het feit dat naarmate er meer spelers uitvallen de gemiddelde *chipstack* steeds groter wordt. In de latere fases van een toernooi worden soms zelfs *antes* ingesteld: kleine bijdragen van elke speler voor elke hand, om de *pot* met de *blinds* een beetje te spekken zodat het aanlokkelijker wordt voor die *pot* te spelen.

Het is zeker leerzaam en leuk om naar toernooien te kijken en nog boeiender is het om eens met een toernooi mee te doen!

2.8 Full ring en Short-handed

Normale spellen Texas Hold'em worden doorgaans met maximaal tien man aan een tafel gespeeld. In dat geval spreken we van een *full-ring* game. Bij een tafel waar zes man of minder aan plaats kunnen nemen, spreken we van *short-handed* games. Over het algemeen worden in een *short-handed* game meer handjes gespeeld en is het spel wat agressiever (dat wil zeggen dat er meer *raises* plaatsvinden). Daarentegen wordt in een *full-ring* game de *pot* vaak groter, omdat er meer mensen zijn die om een *pot* spelen. Wij zullen bij het bespreken van de strategie uitgaan van *full-ring* games. *Short-handed* games vereisen een iets aangepaste strategie omdat spelers met mindere kaarten genoegen moeten nemen en hiermee wel veel moeten *betten* en *raisen*. Voor een beginner zijn dit naar ons idee niet de ideale tafels, maar met een goede basis kun je veel bereiken.

Het is dan ook tijd om aan je strategische kennis te gaan werken!

3. Strategie

Tot nu toe zijn we in dit boek vooral bezig geweest met hoe poker werkt en de spelregels die je nodig hebt om het spel te kunnen begrijpen, zoals het bijvoorbeeld op televisie uitgezonden wordt. Nu dit allemaal duidelijk is, wordt het tijd om wat dieper op het spel in te gaan. Want om een goede pokerspeler te worden heb je niet alleen kennis van de regels nodig. Het is ook belangrijk iets van de strategie af te weten.

Er is over pokerstrategie al veel nagedacht en geschreven. Strategieën hebben meestal een wiskundige basis en zijn uitvoerig getest. In dit hoofdstuk zal de besproken strategie vooral praktijkgericht zijn en niet al te diepgravend, omdat dit aan het doel van dit boek voorbij zou gaan.

Bij poker zijn er zo verschrikkelijk veel mogelijkheden dat het onmogelijk is om voor elke situatie een goede strategie te geven. We gaan dan ook proberen een manier van denken over te brengen, zodat je in verschillende situaties zelf de beste beslissing kunt beredeneren. Bij poker is er geen magische manier om heel goed te worden. Je zult dus veel moeten studeren en spelen als je echt goed wilt worden.

Dit hoofdstuk zal, zeker als je echt nooit eerder gespeeld hebt, het moeilijkste hoofdstuk van het boek zijn. Laat je hier niet door afschrikken, het is normaal dat het gebodene lastig te begrijpen is, ga maar na: anders zou iedereen zomaar goed kunnen pokeren!

Achtereenvolgens zal worden uitgelegd hoe de beginnersstrategie in elkaar zit, wat veelgemaakte fouten zijn en welke strategie het beste werkt, zowel voor als na de *flop*.

3.1 Strategie in het algemeen

De strategie voor beginners is gericht op één ding: lastige situaties vermijden. In deze lastige situaties zul je namelijk sneller fouten maken. Als je de basis onder de knie hebt, kun je langzaam steeds meer op jezelf vertrouwen en deze situaties meer opzoeken. Bij de specifieke onderdelen in dit strategiehoofdstuk zullen we ook de veelgemaakte fouten langsgaan. We beginnen hier met een aantal veelgemaakte strategische fouten die je goed in je achterhoofd moet houden en moet zien te voorkomen.

Allereerst zul je als beginner heel snel de fout maken om te veel handen te willen spelen voor de *flop*. Dit heeft bijna iedereen. Je bent tenslotte poker aan het spelen. Weinig handen spelen is saai. Makkelijk is het zeker niet om veel kaarten te *folden*, maar onthoud goed dat het doel in poker niet is om zoveel mogelijk *potten* te winnen, maar zoveel mogelijk *chips*. Probeer daarom alleen de meest gunstige situaties voor jezelf uit te zoeken. Neem geen genoegen met marginale handen die je in de problemen kunnen brengen. Hoe je dit doet, komt in de volgende paragrafen aan bod.

Ten tweede is het, als je nog niet heel zeker bent in bepaalde situaties, erg makkelijk om té passief te handelen. Dit bestaat vooral uit *checken* wanneer je moet *betten* en *callen* wanneer je zou moeten *folden* of *raisen*. Hier zul je zelf een gevoel voor moeten ontwikkelen, dit krijg je na verloop van tijd vanzelf. Vuistregel is dat je pas *callt* als je hier een goede reden voor hebt en anders *foldt* of *raist*.

We gaan nu per fase in het spel een strategie bespreken.

3.2 Pre-flop spel

Spelen met de eerste twee kaarten wordt *pre-flop* spel genoemd. Er liggen nog geen kaarten op tafel, dus je hebt beperkte informatie. In het allereerste begin van je pokercarrière is het vooral van belang een goede keuze te maken over het wel of niet spelen van bepaalde kaartcombinaties. Sommige van deze handen kunnen je namelijk makkelijk in de problemen brengen.

Gelukkig zijn er maar weinig situaties denkbaar en kunnen we in dit geval een tabel geven van een goede strategie. Om die tabel te kunnen begrijpen moet er eerst nog een begrip worden geïntroduceerd: positie.

3.2.1 Positie

Positie is een van de belangrijkste begrippen in de pokerstrategie. In bepaalde spelvormen is het zelfs nog belangrijker dan je kaarten. Positie is je plaats aan tafel ten opzichte van de *dealerbutton*. Dit is zo belangrijk omdat een beslissing in grote mate afhangt van wat je tegenstanders doen. Ben je als eerste aan de beurt, dan weet je niet wat de anderen gaan doen en kun je moeilijker een goede beslissing maken. Ben je als laatste aan beurt, dan weet je al precies wat de rest van de tafel doet en kun je dus beter beslissen wat je moet doen met je hand.

De posities aan tafel hebben de volgende namen:

Small blind – De speler die de kleine blinde inzet doet.
Big blind – De speler die de grote blinde inzet doet.
Early position – De eerste twee spelers die een beslissing moeten nemen.
Middle position – De volgende drie spelers die een beslissing moeten nemen.
Late position – Twee laatste spelers die een beslissing nemen plus de speler op de *button*.
Button – De speler met de *dealerbutton*.

De *button* mag voor de *flop* bijna als laatste, en in volgende inzetrondes helemaal als laatste, zijn beslissing nemen en heeft daarom de meest gunstige positie. Je weet vanuit hier of de *pot geraisd* wordt en hoeveel mensen er in de *pot* zitten, allemaal informatie die je vanuit *early position* niet hebt.

Dit zorgt ervoor dat je vanuit een betere positie meer verschillende starthanden spelen kunt. Dit komt in de volgende paragraaf naar voren.

3.2.2 Starthanden

Een van de belangrijkste beslissingen die je in Texas Hold'em moet nemen, is of je een hand gaat spelen of niet. Uit onderstaande tabel kun je aflezen of het verstandig is om een hand te spelen voor de *flop*. Dit is helaas niet alleen afhankelijk van je *positie*, je kaarten en of er *geraisd* is of niet, maar ook tegen wat voor tegenstanders je aan het spelen bent. Deze tabellen dienen dus als vuistregel, maar zijn zeker niet de absolute waarheid.

De tabel gaat uit van een volle tafel. Dit betekent dat er meer dan acht mensen aan tafel zitten. Dat is van belang omdat handwaardes veranderen bij een bepaald aantal tegenstanders in een *pot*. AK (aas, heer) bijvoorbeeld is een erg goede hand tegen een beperkt aantal tegenstanders. Het probleem is dat als er heel veel tegenstanders meegaan, je heel makkelijk de een na beste hand maakt. Dit zijn de duurste handen in poker. Je wilt dan namelijk wel *callen* en *betten*, zodat je veel bijdraagt aan de *pot*, maar wint deze uiteindelijk niet. Handwaardes zijn dus relatief. *Heads-up* zou 22 beter zijn dan AK, maar dat is niet zo op een volle tafel. Hou hier rekening mee bij het gebruik van deze tabel.

Deze tabel geldt alleen voor *limit* poker. In *no-limit* en *pot-limit* is de strategie zo anders dat de tabel behoorlijk moet worden veranderd om daar een goede strategie voor te hebben. Gebruik deze tabel daar niét voor.

Ook is deze tabel gemaakt voor spelletjes waar je als beginner veel in terecht zult komen, namelijk met losse tegenstanders. Dit zijn tegenstanders die moeilijk zijn te *bluffen* en je vaak zullen *callen* als je een goede hand hebt. Kom je verder, dan is het van belang wat meer boeken te lezen die ook voor *tight-agressive* tafels een goede strategie geven. Dit zijn tafels waarbij de spelers selectief zijn voor de *flop* en na de *flop* actief zijn met hun inzetten. Dus *betten* en *raisen*.

Starthandentabel

	Early			Middle			Late				SB			BB		
	GR	R	RR	GR	R	RR	GR	R4	R	RR	GR	R	RR	GR	R	RR
AA-QQ	R	R	R	R	R	R	R	R	R	R	R	R	R	R	R	R
JJ-TT	R	R	C	R	R	C	R	R	R	C4	R	R		R	R	
99	R	R		R	R		R	C	C3		R	C		R	C	
88	C	C		C	C		R	C	C3		C	C		x	C	
77-22	C	C		C	C		C	C	C3		C	C		x	C	
AKs	R	R	R	R	R	R	R	R	R	R	R	R	R	R	R	R
AQs	R	R	C	R	R	C	R	R	C	C4	R	R		R	R	
AJs	R	C	C	R	C	C	R	R	C	C4	R	R		R	R	
ATs	R	C		R	C		R	C			R	C		R	C	
A9s-A8s	C			C			R	C			C			x	C	
A7s-A2s	C			C			C	C			C			x	C	
AK	R	R	C	R	R	C	R	R	R	C4	R	R		R	R	
AQ	R	R		R	R		R	C			R	C		R	C	
AJ	R			R			R				C			x	C	
AT	C			C			C				C			x		
KQs	R	C	C	R	C	C	R	R	C	C4	R	R		R	R	
KJs	R	C		R	C		R	C			R	C		R	C	
KTs	C	C		C	C		R	C			C	C		x	C	
K9s	C			C			R				C			x	C	
K8s-K2s							C				C			x	C	
KQ	R			R			R				C			x	C	
KJ	C			C			C				C			x		
KT							C				C			x		
QJs	C	C		C	C		R	C	C3		C	C		x	C	
QTs	C			C			C	C			C			x	C	
Q9s	C			C			C				C			x	C	
Q8s							C				C			x	C	
QJ-QT							C				C			x		
JTs	C	C		C	C		R	C	C3		C	C		x	C	
J9s	C			C			C				C			x	C	
J8s-J7s							C				C			x	C	
JT							C				C			x		
T9s	C			C			C	C	C3		C			x	C	
98s	C			C			C	C			C			x	C	
87s-76s				C			C	C			C			x	C	
65s-43s				C			C				C			x	C	
T8s-53s							C				C			x	C	
XXs							C				C			x		

Legenda

GR	Geen raise, als er voor je in de pot nog geen raise geplaatst is
R4	Wel een raise, maar met 3 callers (dus totaal in ieder geval 4 mensen in de pot)
R	Wel een raise voor je
RR	Een raise en een reraise voor je

C	Je kunt hier callen
Cx	Je kunt hier callen, als er minimaal x andere spelers (inclusief de eerste raiser) in de pot zitten
R	Je kunt hier raisen

Early, Middle en Late geven je positie aan. SB betekent Small Blind, BB betekent Big Blind.

Deze tabel geeft behalve alle mogelijke handen en alle posities ook weer wat je in deze situaties kunt doen. In de linkerkolom zie je de handen. T, J, Q, K, A stellen tien, boer, vrouw, heer en aas voor. Een s achter de kaartcombinatie betekent *suited*, de kaarten zijn dan van dezelfde soort.

Bijvoorbeeld:

Ako/AK   Aks(uited)   55

Het komt ook voor dat bepaalde handen zo dicht bij elkaar zitten, dat er dezelfde strategie voor geldt. Er is dan een streepje tussen gezet. A7s-A2s betekent de volgende handen van iedere soort:

A7s-A2s

Verder moet je nu kijken in welke positie je zit. Bovenaan in de tabel kun je zien welke kolom op jou van toepassing is. Zit je *under-the-gun* (als eerste aan de beurt na de *blinds*), dan moet je in kolom *Early* zijn. Omdat er nog niemand voor je is geweest is er nog geen *raise* geweest (GR, geen raise). Je kunt nu in het vakje dat naast je hand staat aflezen wat je doen moet.

Even een voorbeeld. Je zit met:

AK

in een *middle* positie. Iemand voor je *raist*. De rest *foldt*. Je kijkt nu in *middle* onder 'R' en zo vind je in het vakje voor AK de letter R. Dit betekent dat je mag *raisen*.

Nog een voorbeeld:

K4s

Je zit in de *big blind* en hebt K4s. Iemand in *late* positie *raist*, nadat er al drie mensen *gecalld* hebben. Je kijkt nu bij BB onder R bij K8s-K2s en ziet daar een 'C', je mag dus *callen*.

Voor de meeste gevallen geeft de tabel een goede strategie. Soms zul je terechtkomen in een situatie die je niet in de tabel kunt vinden, bijvoorbeeld als er na je iemand *raist*. Meestal heb je al een zodanige bijdrage aan de *pot* gedaan, dat *callen* dan goed is. Wordt er twee keer na je *geraisd*, dan is de kans groot dat je verslagen bent en in ieder geval een van de twee tegenstanders een zodanig betere hand heeft dat het beter is om te *folden*.

3.2.3 Aanpassingen bij bepaalde kwaliteit van tegenstanders

In het algemeen biedt deze tabel zoals gezegd een goed beeld van welke handen je als solide basis spelen kunt op lagere limieten. Welke handen je minder kunt spelen als de inzet omhoog gaat is nogal afhankelijk van de specifieke situatie. Twee uitersten ter illustratie:

1. Je zit aan de keukentafel te spelen voor lucifers of dubbeltjes.
2. Je zit in het casino in Las Vegas 100/200 dollar te spelen tegen bekende topspelers.

In het eerste geval zit je waarschijnlijk te spelen voor de lol en hoef je niet koste wat het kost te winnen. Dit zorgt ervoor dat ook de andere spelers makkelijker mee zullen gaan om te kijken of je niet bijvoorbeeld aan het *bluffen* bent. Omdat iedereen dit doet zal een uiteindelijke *pot*, gemeten in *big bets*, een stuk groter zijn dan een *pot* in de tweede situatie. Je kunt voor zo'n *pot* een groter risico nemen.

In de eerste situatie kun je deze tabel prima gebruiken. Je zou zelfs eventueel nog iets meer handen kunnen gaan spelen. In de tweede situatie ben je dit boek ontgroeid en moet je zelf op zoek naar strategieën.

3.3 Post-flop strategie

In de vorige paragraaf hebben we strategie voor de *flop* bekeken. Toen was het nog mogelijk veel van de situaties die je tegen kunt komen aan tafel op te sommen en er een goede strategie voor te geven. Zodra de eerste drie kaarten op tafel komen is dit afgelopen. Er zijn nu zoveel mogelijkheden dat dit simpelweg niet meer kan of het hele boek zou hiermee vol staan. In deze paragraaf zullen we een aantal concepten langsgaan die van belang zijn om ook na de *flop* goed te kunnen spelen. Hier is namelijk de uiteindelijke winst te halen. Na de *flop* komt het aan op creativiteit en inzicht. Dit valt niet, zoals de *pre flop* strategie, uit een boek te leren.

Een veelgemaakte fout is hier om 'te lang te blijven hangen' met middelmatige kaarten, net als voor de *flop*. Ook komt hier het eerder besproken 'passief spelen' veel voor. Probeer nog steeds voor beide te waken.

Op de *flop* krijgt je hand voor het eerst wat meer definitie en kun je al voor een groot deel zeggen of je *hole cards* aansluiten op de kaarten op tafel. Ook kun je zien of je een kans hebt op een winnende hand.

Er beginnen nu steeds meer factoren mee te tellen. In de afweging bij wat je moet doen met een hand heeft alles twee kanten en is niets absoluut het belangrijkst. Hou dus altijd rekening met zoveel mogelijk van deze variabelen:

- Je kaarten.
- Je 'positie'.
- De mate van 'agressiviteit' van je tegenstanders.
- Hetgeen er voor de *flop* gebeurd is.
- Het aantal tegenstanders dat nog in de *pot* zit.
- Of je al de beste hand hebt.
- Eventuele extra informatie en gevorderde strategieën.

3.3.1 Je kaarten

Natuurlijk is het fijn om een goede hand op de *flop* te maken, waarmee je veilig zit en waarschijnlijk de *pot* zult winnen. Dit zal helaas niet altijd gebeuren. Vaker moet je door slim inzetten de *pot* proberen te winnen, of er op die manier achter zien te komen dat je verslagen bent en kunnen *folden*.

Veel spelers maken in het begin de 'sterk is zwak en zwak is sterk'-fout. Dit houd in dat je, als je zwakke kaarten hebt, *bet* om je tegenstanders uit de *pot* te jagen en als je sterke kaarten hebt, *checkt* om je tegenstanders maar zo lang mogelijk in de *pot* te houden.
Natuurlijk is het bij poker vaak de bedoeling om je tegenstander een loer te draaien, maar deze manier van spelen werkt vaak averechts. Goede spelers weten precies wat je aan het doen bent en kunnen zich daarop aanpassen. Bovendien zul je op deze manier vaak grote *potten* verliezen en kleine *potten* winnen.

Gelukkig kun je hier makkelijk iets aan doen, namelijk wat afwisseling in je spel brengen. *Bet* niet altijd als je een goede hand hebt, maar doe dit wel regelmatig. *Check* niet altijd als je een slechte hand hebt, maar varieer.

Bij spelen op het internet is de afwisseling minder noodzakelijk, spelers hebben daar vaak toch de neiging minder op te letten (hier kun je dus vaker gewoon inzetten als je een goede hand hebt en je kaarten wegdoen als de kans groot is dat je verslagen bent).

Nog een kanttekening: als je een echt goede hand krijgt, kan het verstandig zijn om niet direct in te gaan zetten. Dit zou tegenstanders weg kunnen jagen van een *pot* die zo groot mogelijk moet worden, omdat jij hem waarschijnlijk winnen gaat. Pas hiermee op: als je tegenstander een *draw* heeft (bijvoorbeeld naar een *flush*) is het erg goedkoop voor hem deze te maken en zo de *pot* van je af te pakken. Doe dit dus niet snel als er mogelijkheden op tafel zijn voor zo'n *draw*.

3.3.2 Je 'positie'

Voor de *flop* was het belangrijk te weten of je je beslissing als eerste of als laatste nemen moest, nu is dit nog veel belangrijker. Als je op de *button* zit, ben je in deze en alle volgende inzetronden als laatste aan de beurt. Dit geeft extra mogelijkheden om de *pot* te winnen. Je kunt namelijk, behalve door de beste hand te hebben, de *pot* winnen door in te zetten als niemand anders daartoe besluit. Dit is natuurlijk een mooi extra voordeel en daarom kun je ook meer handen spelen vanuit deze positie en latere posities.

3.3.3 Hoeveel tegenstanders er nog in de pot zitten

Nu komen we aan bij een van de mooiste dingen van poker: *bluffen*! *Bluffen*, het doen alsof je de beste hand hebt terwijl je deze niet hebt, is af en toe noodzakelijk om een pokerspel te kunnen winnen. Een van de dingen waar je rekening mee moet houden bij de beslissing of je gaat *bluffen* of niet, is het aantal tegenstanders dat nog in de *pot* zit. Tegen veel tegenstanders is er een groot risico dat iemand toch een voldoende 'goede hand' heeft om je te *callen*. Bluf dus liever nooit tegen meer dan twee tegenstanders.

Andersom werkt dit natuurlijk ook. Heb je een erg goede hand en zitten er nog veel tegenstanders in het spel, zet dan in, er gaat toch vaak wel iemand mee.

3.3.4 De mate van 'agressiviteit' van je tegenstanders

Dit is de verhouding tussen hoeveel je tegenstanders gemiddeld *callen* en hoeveel ze verhogen. Een heel belangrijk aspect dat vaak onderschat wordt. Als je tegenstanders veel handen spelen en met veel spelers (meer dan drie) op de *showdown* terechtkomen, heb je aan het einde gewoon de beste hand nodig en is je beslissing in voorgaande inzetrondes vooral gebaseerd op de kans om zo'n beste hand te krijgen. Je hoeft minder in te schatten wat al die tegenstanders hebben, want meestal zal iemand een redelijke hand hebben en is *bluffen* nagenoeg onmogelijk.

Andersom geldt dit principe natuurlijk ook. In een spel waar er vaak maar één speler overblijft in een *pot* en het maar af en toe tot een *showdown* komt met twee mensen, is je hand veel minder van belang en moet je echt nadenken over inzetstrategieën om het maximale uit de hand te halen.

In het begin zul je vooral de eerste situatie veel tegenkomen. Veel spelers die met speelgeld op internet spelen vinden het léúk om te spelen en zullen dus niet snel hun kaarten weggooien. Mocht je later in je pokercarrière in het casino terechtkomen om daar te spelen dan zul je de tweede situatie vaker tegenkomen.

Verder is nog een ander aspect van agressiviteit van belang, namelijk of je tegenstanders veel verhogen en of je vaak de eerder besproken fout van het te veel *callen* maakt. Als er veel verhoogd wordt, zit je als beginner waarschijnlijk aan een pokertafel die moeilijk door jou te verslaan zal zijn; je hebt dan veel meer spelinzicht nodig. Als spelers alleen maar meegaan, dan heb je de juiste tafel gevonden en zal dit veel makkelijker gaan.

3.3.5 Hetgeen er voor de flop gebeurd is

Vaak kun je door wat iemand voor de *flop* doet al een goed idee krijgen over wat hij in de hand heeft. Als iemand bijvoorbeeld blijft *raisen* voor de flop, is er een groter dan normale kans dat hij een tophand heeft (aas-heer, vrouw-vrouw of hoger), zeker als je in een spel zit waarin je tegenstanders goed zijn.

Als iemand alleen maar meegaat voor de *flop* zal hij waarschijnlijk geen tophand hebben, die kun je dan ook voor jezelf uitvlakken als mogelijke hand voor de tegenstander. Pas natuurlijk wel op. Op tafel kunnen kaarten komen die precies met zijn hand samenwerken, zodoende kan hij alsnog een tophand maken.

Dit, de precieze *hole cards* van een tegenstander raden, noemen professionele spelers een *read*. Ze 'lezen' als het ware de tegenstanders en maken op basis van wat er aan tafel gebeurt een beeld van hun handen.

3.3.6 Heb je al de beste hand?

Je hebt na de *flop* twee mogelijkheden:

1. Je hebt de beste hand op dit moment. In de meeste gevallen ben je dan favoriet om de hand te winnen (d.w.z. tegen een tegenstander hebt je meer dan vijftig procent kans te winnen, tegen twee tegenstanders meer dan 33 procent, etcetera).
2. Je hebt nog niet de beste hand, maar wel een aantal mogelijkheden om deze te krijgen op de *turn* of *river*.

In het eerste geval is het makkelijk: probeer zoveel mogelijk geld in de *pot* te krijgen. De *pot* is in de meeste gevallen voor jou en dat is een goede reden om zoveel mogelijk *chips* in de *pot* te krijgen.

Het tweede geval is wat lastiger. Je moet namelijk gaan uitrekenen wat de kans is dat je op de *turn* of *river* die kaart krijgt die jouw hand de winnende maakt. Dit is eigenlijk ook onderdeel van je beslissingen na de *flop*. Omdat dit nogal wat voeten in de aarde heeft staat dit in een aparte paragraaf (3.4).

Als je een inzet moet maken of moet *callen* is dit in grote mate afhankelijk van de hoeveelheid geld die al in de *pot* zit. Ga maar na: als de *pot* groot is heb je een kans op een grote *pot* en als de *pot* klein is heb je een kans op een kleine *pot*, met dezelfde inzet. De prijs ten opzichte van de *pot* noemt men *pot-odds*. Dit komt ook uitgebreid aan bod in paragraaf 3.4.

3.3.7 Extra informatie

Heel af en toe heb je aan tafel een unieke situatie. Een tegenstander laat bijvoorbeeld een kaart per ongeluk openvallen, iemands connectie valt uit op het internet en is daarom *all-in* (hij kan dan niet meer inzetten, maar doet wel mee in de *pot*) of mensen zeggen dingen in de chat op internet die je doen vermoeden dat ze een goede hand hebben. Al dit soort dingen tellen mee in je beslissing over wat je met een hand moet doen.

In het begin is het net als bij je eerste rijlessen en zul je met veel dingen nog geen rekening kunnen houden, omdat je het al veel te druk hebt met je kaarten. Maar het spel zal steeds makkelijker gaan en zal je steeds minder moeite kosten. Pak er geleidelijk aan steeds een nieuw aspect bij en probeer het zo voor jezelf overzichtelijk te houden.

Op een bepaald moment zul je het (bijna) perfect kunnen en heb je zelfs tijd over. Op dat moment ben je dit boek ontgroeid en ben je toe aan geavanceerde strategieën. Deze zijn op vele plaatsen op internet te vinden (onder andere op Pokerinfo.nl) en er zijn veel boeken over geschreven, de meeste in het Engels. Je kunt er bijvoorbeeld gaan leren over inzetstrategieën (*check-raisen* etcetera.) implied odds, slowplayen, blockbets en valuebets.

3.4 Outs, odds en de combinatie daartussen

Odds en *outs* zijn twee hele belangrijke begrippen in het pokerspel. Ze geven aan wat op de lange termijn een verstandige beslissing is. Natuurlijk is van één enkele hand de uitkomst niet voorspelbaar, maar als je op de lange termijn beslissingen blijft nemen in je eigen voordeel, zul je uiteindelijk als winnaar uit de bus komen. In deze paragraaf komen de begrippen *odds* en *outs* uitgebreid aan bod.

3.4.1 Outs

Er zijn natuurlijk situaties in poker waarbij je niet de beste hand hebt. Dit hoeft nog niet te betekenen dat je deze hand direct moet *folden*, je kunt namelijk ook een *draw* naar de beste hand hebben. Dit betekent dat er kaarten kunnen komen die je de beste hand geven. Even een voorbeeld:

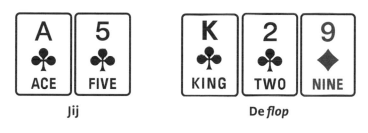

Jij   De *flop*

Outs

Je hebt [A 5]. De *flop* komt [K 2 9]. Je hebt nu waarschijnlijk niet de beste hand. Je hebt namelijk nog geen pokercombinatie en alleen een *high card*. Gelukkig heb je behoorlijk veel mogelijkheden om een goede hand te maken. Komt er bijvoorbeeld nog een klaver op de *turn* of *river*, dan heb je een *flush* en ben je bijna onverslaanbaar.

Outs is het aantal kaarten dat jouw hand de beste maakt. In het voorbeeld hierboven heb je negen *outs* voor de *flush* (die maken je hand bijna zeker de winnende), de negen klaverkaarten die nog in het pakje kaarten zitten.

Jij   De *flop*   Je tegenstander

Open-ended-straight-draw

Nog even een extra voorbeeld: Je hebt KQ in je hand en op de *flop* ligt TJ3, van verschillende *suits*. Je vermoed dat je tegenstander een J heeft met een Q als *kicker*. Hoeveel *outs* heb je dan?

Antwoord: Je kunt een straat maken met een A of een negen, hiervan zijn er nog acht (vier azen en vier negens). Verder kun je ook een K krijgen die een hoger paar maakt. Aangezien je al een K in je hand hebt zijn er hiervan nog drie. Een Q zou je ook een hoger paar geven, maar je tegenstander twee paar. Dat is dus geen *out*. We tellen ze nu op: vier azen, vier negens en drie koningen. Je hebt dus elf *outs*.

Als je berekend hebt hoeveel *outs* je hebt, kun je hiermee uitvinden hoeveel kans er is voor jou om deze hand te maken en dus hoeveel kans je hebt om te winnen. In het begin zal dit erg moeilijk zijn, maar op een bepaald moment heb je de berekening al zo vaak uitgevoerd dat je het antwoord al meteen zult weten.
We zullen eerst de echte berekening langslopen en vervolgens een trucje behandelen om de echte berekening te kunnen omzeilen. We vatten dit overzichtelijk samen in een tabel.

Laten we het voorbeeld van de *flush-draw* nog even oppakken. Zoals gezegd heb je in dit geval negen kaarten die je helpen. Op de *flop* zijn er 47 ongeziene kaarten, 52 min de twee in je hand en drie op tafel.[1] De kans dat op de *turn* een van je negen kaarten komt is:

9/47 = 19,1 procent

Komt deze kaart op de *turn* niet, dan heb je nog steeds negen *outs* om de *flush* op de *river* te krijgen. Omdat nu nog een kaart bekend is (de *turn*), zijn er 46 ongeziene kaarten over:

9/46= 19,6 procent

---

1 Het maakt voor deze berekening niet uit dat er ook andere spelers in dit spel zitten. Omdat we niet kunnen weten wat zij in hun hand hebben, kunnen we dit buiten beschouwing laten en deze kaarten gewoon meetellen in het aantal ongeziene kaarten.

Gelukkig hoef je niet de hele tijd in je hoofd deze berekening te maken. Veel situaties zul je op een bepaald moment gaan herkennen. Je weet dan als vanzelf de *odds*. Mocht je een keer een situatie tegenkomen waarin dit niet zo is, dan hoef je nog steeds niet naar je rekenmachine te rennen. Er is een simpele manier om het percentage in te schatten. Deze manier noemen wij de 2/4 regel.

Laten we nogmaals het voorbeeld van de *flush-draw* nemen. Je hebt dan negen *outs*. Een schatting van het percentage kun je nu maken door het aantal *outs* te vermenigvuldigen met twee. Je hebt dan:

9 x 2 = 18 procent

Dit blijkt voor de meeste situaties redelijk te kloppen en is dus een mooie en bruikbare berekening om aan tafel tijdens een pokerspel uit te voeren.

Wil je de kans weten dat je op de *turn* óf op de *river* je *draw* gaat *hitten*, vermenigvuldig dan het aantal *outs* met vier. Wederom het voorbeeld van de *flush-draw*:

9 x 4 = 36 procent

Dit komt wederom erg in de buurt van het werkelijke percentage van ongeveer 35 procent. In de meeste situaties heb je alleen het eerste voorbeeld nodig, omdat je maar betaalt voor een extra kaart. We zullen verder in dit boek de 2/4 regel als standaard gebruiken om dit soort berekeningen te maken.

Outs	Werkelijk %	2/4 Regel	Voorbeeld
1	2,13%	2,00%	1 specifieke kaart nodig
2	4,26%	4,00%	
3	6,38%	6,00%	
4	8,51%	8,00%	Inside-straight-draw
5	10,64%	10,00%	
6	12,77%	12,00%	2 overcards
7	14,89%	14,00%	
8	17,02%	16,00%	Open-ended-straight-draw
9	19,15%	18,00%	Flush-draw
10	21,28%	20,00%	
11	23,40%	22,00%	
12	25,53%	24,00%	Flush-draw + 1 overcard
13	27,66%	26,00%	
14	29,79%	28,00%	Open-ended + 2 overcards
15	31,91%	30,00%	
16	34,04%	32,00%	
17	36,17%	34,00%	
18	38,30%	36,00%	

Kans op een *turn-hit* volgens de 2/4 regel.

3.4.2 Odds

We hebben net besproken wat er gebeurt op het moment dat je niet de beste hand hebt. We hebben laten zien hoe je kunt berekenen wat de kans is dat je bij de *showdown* toch de beste hand gemaakt hebt aan de hand van *outs*. Deze kans moet je uiteindelijk vergelijken met de prijs die je ten opzichte van de *pot* voor deze hand (of een extra kaart) betaalt. Deze prijs noemt ment de *pot-odds*. We zullen eerst bespreken hoe deze te berekenen is en vervolgens hoe je deze kunt gebruiken.

Dit is best een moeilijke paragraaf, het is zeker verstandig om een aantal handen poker te spelen voordat je deze paragraaf gaat proberen te begrijpen.

Pot-odds bereken je voor onze toepassing als volgt:

Gevraagde inzet / Totale *pot* = *Odds*

In de praktijk werkt dit als volgt. Stel de *pot* is zes en je enige overge-bleven tegenstander maakt een inzet. Deze inzet is twee. Je *pot-odds* zijn nu:

2/10 = twintig procent

Tien is de begin*pot* plus de inzet van je tegenstander en je eigen in-zet. Twee wordt van je gevraagd om mee te gaan. Je *pot-odds* zijn dus in dit geval één op vijf (wat zoveel zeggen wil als: één inzet brengt je mogelijkerwijs vijf keer deze inzet op). Vertaald in percentages is dit twintig procent.

Even nog een voorbeeld: de *pot* is op een bepaald moment acht, je te-genstander zet een. Je moet dus één *callen* om mee te gaan en de vol-gende kaart te zien. Je *pot-odds* zijn nu als volgt:

1/10 = tien procent

Je *pot-odds* zijn dus tien procent. Je hoeft dus maar tien procent van de *pot* te betalen om mee te gaan.

Natuurlijk kan zich ook de situatie voordoen dat je met meerdere te-genstanders in de *pot* zit. Je krijgt dan vaak een heel aparte situatie. Je *pot-odds* zijn dan namelijk niet zeker. Kijk maar eens naar het vol-gende voorbeeld.

De *pot* is vijf. De eerste tegenstander zet een, de tweede *raist* naar twee en vervolgens ben jij aan de beurt. Makkelijk zou zijn als je nu kon zeggen:

2/10 (5 + 1 + 2 + 2) = twintig procent, dus mijn *pot-odds* zijn twintig procent.

Dit is fout. Het probleem is dat dit niet het einde van de actie is. De eerste tegenstander heeft namelijk nu nog de mogelijkheid om opnieuw te verhogen. Je *pot-odds* zijn dus onzeker, omdat je niet weet wat je betaalt in deze inzetronde. In deze situatie komt het aan op je kennis van de tegenstander. Is hij een speler die zou inzetten op een goede hand en nu nog weer gaat verhogen? Pas dan op, deze hand zou je wel eens meer kunnen kosten dan dat je op dit moment vermoedt. Zou deze speler als hij een goede hand heeft vaak *checken* om zo te kunnen *raisen* als iemand *bet*? Dan zit je waarschijnlijk veiliger en zal hij nu niet snel nog eens gaan verhogen.

Pot-odds zijn een soort maatstaf voor de uitbetaling van een bepaalde inzet. Verder gevorderde spelers (en *no-limit* spelers) gebruiken nog een aantal andere maatstaven die we hier niet zullen bespreken. Voorlopig is dit ruim voldoende om mee aan de slag te kunnen.

3.4.3 Het combineren van odds en outs

Op basis van de vorige twee paragrafen is het mogelijk te berekenen of een *call* in een bepaalde situatie voordelig of nadelig voor je is. Aan de hand van een aantal voorbeelden zal duidelijk worden hoe je dit kunt doen.

Voorbeeld 1:

De *pot* is zes, je enige overgebleven tegenstander zet één op de *flop*. Je hebt een *flush-draw* en je hebt dus negen *outs*. Volgens de 2/4 regel heb je twee keer negen = achttien procent kans om de *flush* te krijgen op de *turn*. Je moet nu één *callen* om acht te kunnen winnen. Ervan uitgaande dat je ook wint als je je *flush* maakt, heb je dus ook achttien procent kans om de winnende hand te maken op de *turn*.

Je moet nu nog uit zien te vinden of de *pot* groot genoeg is om zo'n inzet aan te gaan. Dit zijn je *pot-odds*.

1 / 8 = 12, 5 procent

Deze percentages kun je nu gaan vergelijken. Je kans om je hand te maken is hoger dan de *pot-odds*. Als het ware kun je nu zeggen dat de kans groter is dan de prijs die je hiervoor betaalt.

Je kunt dus *callen* met een positieve 'winstverwachting', want:

**Je Outs Percentage is hoger dan je Pot Odds Percentage
(OP > POP)**

Nog een voorbeeld:

Voorbeeld 2:

De *pot* is vijftien, er zijn nog twee tegenstanders over. De eerste zet in (twee) en de tweede gaat mee.

Jouw hand	**De** *flop*

Je vermoedt dat er in ieder geval wel iemand een boer heeft. Je hebt dus waarschijnlijk niet de beste hand. Nu moet je gaan uitrekenen of een *call* toch verstandig is.

Van een boer zou je winnen als er op de *turn* een aas of een vijf komt. Dit zijn vijf *outs* (twee vijven en drie azen). Via de 2/4 regel kom je erachter dat je tien procent kans hebt om op de *turn* te hitten.

Je moet twee *callen* om 21 te winnen. Je moet nu de *pot-odds* gaan berekenen.

2/21 = 9,5 procent

Aangezien dit net minder is dan de tien procent kans die je hebt om de hand te winnen is op de lange termijn een *call* winstgevend.

Voorbeeld 3:

Een lastig praktijkvoorbeeld: je zit met twee tegenstanders, maar één heeft een betere positie dan jij en mag dus na jou zijn beslissing maken. De *pot* is zeven en je eerste tegenstander zet in (een) nu ben je aan de beurt. Nu kom je bij het moeilijkste onderdeel van poker aan, het inschatten van je tegenstander. Over het algemeen kun je zeggen dat je tegenstander sneller zal meegaan als jij ook meegaat, omdat er meer in de *pot* zit. In dit geval denk je dat hij mee zal gaan, omdat hij een beginnende speler is en vaak de fout maakt te veel te *callen*. In je berekening kun je hier dan ook van uitgaan.

Er wordt gevraagd of je één wilt inzetten voor een kans om tien (7 + 1 + 1 + 1) te winnen. Hoeveel *outs* heb je nu nodig om dit te kunnen doen?

Antwoord:

Je *pot-odds* zijn tien procent. Je hebt dus ook minimaal tien procent kans nodig om te winnen, om deze *call* quitte te laten draaien. Deze tien procent zou je volgens de 2/4 regel behalen bij vijf *outs*. Het antwoord is dus vijf *outs* of meer. (Goede spelers houden hier rekening met de onzekerheid van de derde speler en hebben dus meer dan vijf *outs* nodig.)

3.4.4 Tien pokergeboden

Je hebt, als je dit strategiehoofdstuk gelezen en begrepen hebt, voldoende kennis in huis om op de lagere limieten winnend poker te kunnen spelen. Als je talent hebt misschien zelfs nog wel een beetje hoger, het komt nu aan op veel oefenen! Strategie in poker is een heel ingewikkeld iets en zelfs de beste spelers ter wereld leren nog dagelijks dingen bij. Je kunt nu je begrip van strategie verder ontwikkelen door te spelen, (Engelse) boeken over poker te lezen en te discussiëren over handen, bijvoorbeeld op Pokerinfo.nl. Succes!

Voor poker is het van belang dat je goed kunt observeren, onthouden en nadenken. Net als bij andere denksporten geldt dat dit een stuk makkelijker wordt als je je goed voelt. Voor spelers is daarom een lijst met tien pokergeboden tot stand gekomen. Als je je hier vanaf het begin aan houdt zul je er veel voordeel bij hebben.

1. Speel nooit als je gedronken hebt. Dit ligt voor de hand, maar blijkt in de praktijk voor veel spelers de moeilijkste les. Overmoedigheid en slordige inschattingen: hoewel het je gezondheid niet zal schaden is het voor je *bankroll* niet aan te bevelen.

2. Speel nooit als je moe bent. Wees scherp, observeer goed, onthoud hoe je tegenstanders spelen. Niet altijd even makkelijk als je al 36 uur in de weer bent. Slaap lekker uit en begin uitgerust aan een winnende sessie. De pokertafels staan er morgen ook nog wel.

3. Begin nooit een pokersessie als je zelf het einde niet kunt bepalen. Het is makkelijker om een sessie met een goed gevoel af te sluiten als je op kunt staan op het moment dat jij vindt dat het mooi geweest is. Te gehaast beslissen omdat je eigenlijk al op je werk of college had moeten zijn bevordert je spel niet; ook is het zonde als je net geïnvesteerd hebt in een *image* of *read* en je er niet van kunt profiteren omdat je elders verplichtingen hebt.

4. Laat nooit een hand zien als het niet hoeft. Je zou je echt heel stoer voelen als je je tegenstander kunt laten zien dat je hem met niets de *pot* uit hebt gebluft, of misschien hoop je op medelijden als iedereen *foldt* en jij als enige verhoger een paar heren vasthoudt. Maar in feite verschaf je tegenstanders gratis inzicht in jouw speelwijze, hetgeen vroeg of laat tegen je werkt.

5. Vertel de spelers aan tafel nooit hoe goed je bent. En leg anderen niet uit dat ze iets doms gedaan hebben. Laat ze maar raden hoeveel kaas jij van het spel gegeten hebt, want over het algemeen spelen mensen zuiniger tegen spelers die zij als gevaarlijk beschouwen.

6. Speel nooit met geld dat je niet kunt missen. Daarmee leg je jezelf onwelkome druk op, en bij verlies zijn de gevolgen natuurlijk helemaal ellendig.

7. Speel nooit tegen mensen die beter zijn dan jij, of op een tafel die je nog niet kunt verslaan.

8. Speel nooit op zulke hoge limieten dat je geïntimideerd raakt en geen optimale beslissingen meer kunt nemen. Dit is gerelateerd aan het zesde gebod: leg jezelf geen onnodige druk op door te spelen om inzetten die je raken bij verlies.

9. Probeer winst en verlies zo goed mogelijk te nemen en laat je niet gek maken door je tegenstanders. Blijf beleefd tegen iedereen, ook tegen de geluksvogel die *pot* na *pot* wint.

10. Vergeet niet dat je nooit bent uitgeleerd en probeer altijd actief beter te worden.

4. Shuffle up and deal

'*Dealer*s, shuffle up and deal.' Deze kreet geeft vaak het startsignaal aan van een pokertoernooi en is toepasselijk voor dit hoofdstuk. Jij gaat hier waarschijnlijk je eerste pokerhandjes spelen!
In totaal krijg je 36 vragen op je afgevuurd. Er wordt een pokersituatie beschreven en naar aanleiding van die situatie stellen we jou een vraag. Deze beantwoord je zo goed mogelijk. Probeer je dus echt in de pokersituatie in te leven en kruip in de huid van de speler die op het punt staat een deel van zijn chips te riskeren.

4.1 Naar het casino!

Na veel oefenen op het internet is het tijd voor de volgende uitdaging: naar het casino! We gaan ervoor zorgen dat je de eerste keer dat je daar gaat spelen geen flater slaat. We gaan er hier van uit dat je naar het Holland Casino gaat, maar casino's in andere landen werken gelukkig op een soortgelijke manier.

In het casino worden verschillende pokervormen aangeboden. *Limit*, zoals hier besproken in het boek, maar ook *no-limit* en *pot-limit* (en ook nog *Omaha*, een andere vorm van poker). De limieten worden aangegeven in inzetten bij *limit*. Bijvoorbeeld: 10/20 betekent dat er tien-euro-inzetronden zijn voor de *flop* en op de *flop* en inzetronden van twintig euro op de *turn* en *river*. Hou hier goed rekening mee als je aan een tafel gaat zitten. Het minimumbedrag waar je mee kunt gaan zitten is in het Holland Casino 200 euro op een 10/20 tafel.

Soms is er een plaats vrij aan een tafel en kun je zo gaan zitten, vaker is er een wachtlijst. Mocht je een vrije stoel zien aan een tafel, dan kun je het beste even aan de *dealer* vragen of er ook een wachtlijst is (kijk eerst goed wat ze spelen, of vraag het aan de *dealer*). Als die er niet is, kun je zo gaan zitten. Als die er wel is, moet je op zoek naar de *brush*. Dit is de drukst uit zijn ogen kijkende casinomedewerker (niet die van de horeca in het rood, maar in het zwart) die bij de pokertafels in de buurt staat. Deze persoon is de 'baas' van de pokertafels die de wachtlijst regelt en beslissingen neemt als er onenigheid is tussen spelers. De beste manier om hem te lokaliseren is gewoon door te vragen: 'Bent u de *brush*?' Bij grote toernooien (bijvoorbeeld de MCOP begin november in Amsterdam) is er vaak een centraal punt waar dit allemaal gedaan wordt, bij een soort bureautje in het midden van de pokerruimte.

De *brush* zal vragen met welk spel je mee wilt doen en welke limiet. Vaak wordt niet alles aangeboden, je hebt dan de keuze uit de lopende tafels. In het begin zul je waarschijnlijk 10/20 *Hold'em* willen spelen, dit is de laagste tafel die in het casino in Amsterdam aangeboden wordt. Elders in het land zijn ook wel 5/10 tafels te vinden. Het minimum bedrag om in te kopen is meestal tien maal *big bet*: 100 euro in 5/10 en 200 euro in 10/20. Wil je echt een avond gaan spelen, zorg er dan voor dat je drie tot vijf keer deze *buy-in* bij je hebt. Als je dit voor de eerste keer doet en gewoon de sfeer en spanning wilt proeven, neem dan minder mee, je zult waarschijnlijk de eerste keer overdonderd zijn door alle nieuwigheden en zult daarom waarschijnlijk niet optimaal spelen.

Wanneer je op de wachtlijst staat, kun je het beste een beetje in de buurt van de pokertafels blijven, je kunt dan op de tafel letten waar je eventueel komt te zitten en alvast een aantal dingen oppikken. Ook gaat je beurt dan niet voorbij als je bovenaan de lijst staat. Op een gegeven moment zal er een stoel vrijkomen en jij de eerste op de wachtlijst zijn. De *brush* roept dan je naam en je kunt gaan zitten. Je kunt nu de bankbiljetten uit je zak halen en op tafel leggen. De *dealer* zal je, zodra hij tijd heeft en de huidige hand is afgelopen, wisselgeld geven in de vorm van *chips*. De *dealer* zal nu vragen of je direct wilt beginnen. Je hebt nu twee opties. Je kunt wachten tot de *big blind*, of meteen een extra *big blind* plaatsen en direct beginnen. Als je in een van de volgende twee handen toch de *big blind* wordt, kun je wellicht beter even wachten. Anders kun je ervoor kiezen een chipje van een *big blind* over de lijn op tafel te schuiven. Deze telt gewoon mee als inzet en je kunt dus *checken* als er niet wordt verhoogd.

Welke van de twee je ook kiest, op een bepaald moment krijg je je eerste kaarten. Probeer altijd netjes je actie uit te voeren als je aan de beurt bent. Andere spelers vinden het vervelend als je de hele tijd voor je beurt gaat en zullen je hier ook op aanspreken, dit mag namelijk officieel niet. Wil je verhogen? Geef dit dan duidelijk aan door *raise* te zeggen en zet dan je *chips* in. Zorg ervoor dat je niet eerst de *chips* over de lijn zet die je laten *callen*, dit is een *string-bet* en zal als *call* worden gezien. Als je altijd je *chips* in één beweging in de *pot* zet, zul je nooit problemen tegenkomen. Verder is het verstandig om altijd met woorden aan te geven wat je wilt doen. *Call, raise*, gewoon de Engelse termen. Bij *folden* kun je je kaarten over de lijn schuiven.

Op een bepaald moment zul je even naar de wc moeten, even een *bad beat* verwerken of anderszins van tafel moeten gaan (bellen aan tafel mag bijvoorbeeld ook niet officieel). Wil je later weer terugkomen? Laat dan je *chips* staan. Deze zijn veilig en worden met camera's in de gaten gehouden. Je kunt op ieder moment opstaan en op ieder moment terugkeren, behalve als je in een hand zit. Als je *blinds* overslaat, moet je soms deze *blinds* alsnog inzetten als je terugkomt (echter nooit meer dan een *big* plus een *small blind*). Hier zal de *dealer* je op attent maken.

Aan het einde van de avond, of op het moment dat je wilt stoppen, wissel je de *chips* in bij de *dealer* voor *chips* van een hogere waarde. Deze kun je verzilveren bij de kassa. Je mag op ieder moment stoppen met spelen als je dit wilt, soms proberen goede spelers je in het spel te houden in de hoop dat je je winst weer verliest of iets dergelijks. Trek je hier niets van aan, het is je goed recht om te stoppen met winst.

In casino's is altijd een *dealer* aanwezig die erop getraind is het spel goed te laten verlopen, je kunt hem ook altijd vragen stellen als iets niet helemaal duidelijk is.

4.2 Online pokeren

Door de opkomst van het internet heeft het pokeren de laatste jaren een enorme vlucht genomen. Het world wide web maakt het mogelijk om in de vertrouwelijke omgeving van je eigen huis tegen anderen te spelen. Vanuit je luie stoel speel je tegen mensen uit de hele wereld. Wees niet verbaasd als je aan een 'pokertafel' een Amerikaan, een Japanner en een inwoner van Duitsland met elkaar ziet chatten.

Online spelen is niet alleen sociaal, het is ook zeer goed voor je ontwikkeling als pokerspeler. Het proces van dealen, inzetten, de hoogste hand bepalen, uitbetalen en niet onbelangrijk... de veiligheid wordt door de online *pokerroom* geregeld en gewaarborgd. Hierdoor is het voor jou als speler mogelijk om meer handen per uur te spelen in vergelijking met het pokeren in een 'echt' casino. Online speel je rond de zeventig handen per uur per tafel en in het casino speel je er ongeveer 25 per uur.

Tevens biedt het internet de mogelijkheid tot *multi-tabling*, het spelen op meer tafels tegelijk. Zo speelt een van de auteurs van dit boek gelijktijdig op negen online pokertafels, wat dus neerkomt op een dikke zeshonderd handen per uur of minimaal tien beslissingen per minuut. Dit voorbeeld is natuurlijk extreem, maar het staat vast dat je op het internet meer handen per uur speelt, meer ervaring opdoet en dus sneller leert.

Doe hier dus je voordeel mee! Achterin dit boek is een cd-rom bijgevoegd van Everest Poker. Deze online *pokerroom* heeft een Nederlandse interface en je kunt daar echt pokeren met fictief geld. Verder kun je gebruik maken van de 'startershandleiding'. Hierin word je stapsgewijs duidelijk en overzichtelijk meegenomen in de wereld van het online pokeren. Kijk voor meer informatie in het nawoord.

Bij het online spelen zie je jouw tegenstander dus niet. Sommige spelers ervaren dit als een voordeel, terwijl anderen het juist heel vervelend vinden. Maar het leuke van online spelen is toch wel dat je jouw vreugde en verdriet wat explicieter kan tonen dan in het casino. Daar is een echt pokerface toch wel erg handig.

Een tip: Hoewel je normaal gesproken in het casino geen pet of zonne-bril mag dragen, mag je dit aan de pokertafel wel. Het kan helpen om je 'tells' (het onbedoeld doorgeven van informatie via je lichaamstaal) te verbergen of tegenstanders ongezien te bestuderen.

4.3 De pokerquiz

In deze paragraaf gaan we met behulp van een quiz bekijken in hoe-verre voorgaande informatie is blijven hangen. Zoals gezegd schet-sen wij bij elke vraag een pokersituatie. Je krijgt een bepaalde hoe-veelheid informatie die belangrijk is bij het beantwoorden van de vraag. Lees de situatieschets goed door en probeer oprecht het beste antwoord voor jezelf te formuleren. Met andere woorden, wat zou jij in deze situatie doen? Daarbij is het belangrijk dat je voor jezelf een duidelijke reden hebt waarom je een bepaalde handeling zou willen verrichten.

Sommige vragen kunnen betrekking hebben op de situatie die in een eerdere vraag is besproken. Ook dit zullen we duidelijk aangeven. Nu eerst een voorbeeldvraag om het wat duidelijker te maken.

Voorbeeldvraag: Je speelt 2-4 *limit Hold'em*. Er zitten negen men-sen aan tafel en jij zit in *early* positie met harten vrouw en harten acht. De meneer die het als eerste moet zeggen *raist*. Wat doe jij?

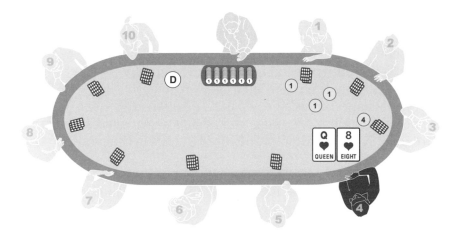

Mogelijkheden:
A. *Call*
B. *Fold*
C. *Raise*

Vaak geven we je een aantal mogelijkheden. Hieruit moet je jouw ideale optie kiezen en belangrijker nog, vraag je af: waarom kies je die optie? Dus probeer jezelf in de situatie te verplaatsen en probeer te beredeneren waarom je voor dat antwoord kiest. Bekijk daarna het antwoord en de uitleg. Als de vraag open is gesteld, zetten we dat erbij.

Antwoord:
B) *Fold*. Dit is de enige goede optie in deze situatie. Harten vrouw en harten acht is een slechte hand voor een *early* positie en zeker als de speler *under-the-gun* heeft *geraisd*.

Het kan voorkomen dat één antwoord niet alleen goed is en de rest fout. Er zijn situaties waar meerdere antwoorden niet echt fout zijn. Om die verschillen goed aan te kunnen geven hebben we het volgende bedacht.

Als je begint aan de quiz heb je een *bankroll* van duizend chips. De goede antwoorden leveren chips op en de verkeerde antwoorden kosten je chips. Per vraag is het handig om je *bankroll* opnieuw te berekenen. Onder elke vraag kun je onder het kopje '*bankroll =*' licht met potlood aangeven wat je nieuwe *bankroll* behelst. Natuurlijk kun je dit ook op een apart blaadje doen. Belangrijk is wel je *bankroll* na elke vraag opnieuw te bepalen. Aan het einde van de quiz komt er een totaal aantal chips uit en op basis daarvan krijg je een plaats in de poker-waardering. Bij onze voorbeeldvraag zouden antwoord A en C je vijftig chips kosten en antwoord B je vijftig chips opleveren.

Voordat we echt gaan beginnen is het raadzaam een aantal contextuele zaken te bespreken. Het spel dat we spelen is *limit Hold'em* (live of online).
We spelen met een kleine *blind* van één en een grote *blind* van twee chips. We zitten met tien pokerspelers aan tafel. Over het algemeen spelen je tegenstanders een ABC-pokerspel. Als er iets bijzonders aan de

hand is vermelden we dat duidelijk in de situatieschets.
Soms heeft een vraagstuk betrekking op een situatie die pokertech-
nisch niet optimaal tot stand is gekomen. Het is goed als je dit con-
stateert, maar neem het voor lief en concentreer je op de vraag die
voor je ligt. Succes, *dealers*... 'Shuffle up and deal!'

Je *bankroll* bestaat uit duizend chips.

Vraag 1:
Je hebt KT *offsuit* in *early* positie. Je bent als eerste aan de beurt. Wat
doe je?

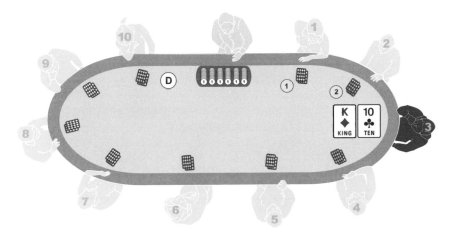

    A. *Call*
    B. *Fold*
    C. *Raise*

Antwoord:
B. *Fold*. Zoals we in de tabel met de *starting hands* kunnen zien is deze
hand niet goed genoeg om vanuit *early* positie te spelen. Deze hand
creëert een lastige situatie terwijl we deze juist proberen te vermijden.

    A= -30
    B = +50
    C = -50
    Bankroll =

Vraag 2:

Je hebt *pocket* zevens in *middle* positie, een speler voor je gaat mee.
Wat doe je?

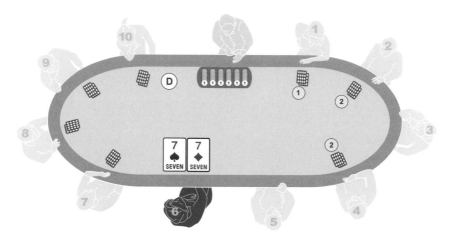

A. *Call*
B. *Fold*
C. *Raise*

Antwoord:

A. *Call*. Deze hand is niet sterk genoeg om vanuit *middle* positie te *rai-sen*, maar te sterk om weg te gooien. Het gevaar bij deze hand wordt gecreëerd door de *flop*. De kans is namelijk erg groot dat er kaarten op tafel komen die hoger zijn dan de zevens. *Call* de inzet en hoop op een zeven op de *flop*.

A= +50
B = nul punten
C = nul punten
Bankroll =

Vraag 3:

Je hebt AJ in late positie. Iemand vanuit *early* positie *raist*. Wat doe je?

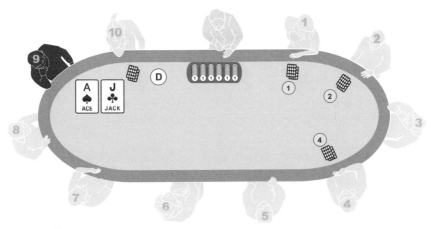

A. *Call*
B. *Fold*
C. *Reraise*

Antwoord:

B) *Fold*. AJ is best een goede hand, maar tegen een *raise* vanuit *early* positie is hij niet bestand. Met welke handen zal iemand *raisen* vanuit *early* positie die zwakker is dan de AJ?
Juist, te weinig handen, dus weggooien!

A= -30
B = +50
C = -40
Bankroll =

Vraag 4:

Je hebt KT *offsuit* in *late* positie (één voor de *button*). Iedereen *foldt* en je ziet aan de handbeweging van de speler op de *button* dat hij zijn kaarten ook al weg wil gooien. Wat doe je?

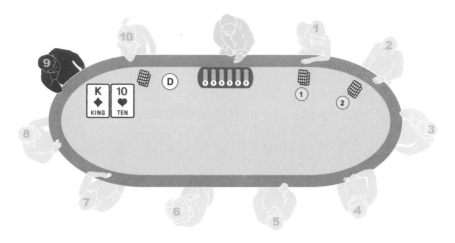

A. *Call*
B. *Fold*
C. *Raise*

Antwoord:

C. *Raise*. Je zit hier in een uitstekende positie om de *blinds* te stelen. De *button* is al praktisch weg en de KT is een sterke hand tegen twee willekeurige handjes. Dus *raise*.
In een eerdere vraag hebben we geadviseerd om KT weg te gooien. Zo zie je maar dat het spel poker zeer situatiegebonden is. Wees gerust, door studie en ervaring zul je deze nuances steeds beter gaan zien en begrijpen.

A= nul punten
B = +15
C = +50
Bankroll =

Vraag 5:

Je hebt 72 *offsuit* en je hebt de grote *blind* moeten betalen. Vier mensen betalen de grote *blind* en de kleine *blind* gooit zijn kaarten weg. Wat doe je?

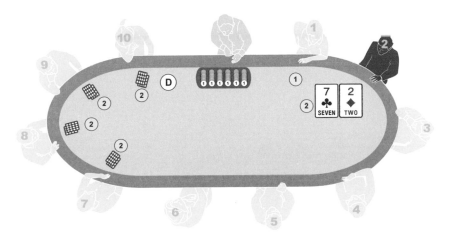

A. *Check*
B. *Fold*
C. *Raise*

Antwoord:

A. *Check*. 7 2 *offsuit* is de slechtste hand die je kan krijgen in het *hold'em*-spel. Echter, je hebt al de grote *blind* betaald en niemand heeft *geraisd*. Dus feitelijk kun je de *flop* gratis bekijken. Het lijkt me duidelijk dat je de inzet niet gaat verhogen met de slechtst mogelijke hand. *Check* en hoop op een wonder-*flop*!

A= +50
B = -50
C = -50
Bankroll =

Vraag 6:

Je zit in de *small blind* met J3 *offsuit*. Vier spelers gaan mee met de grote *blind*. Wat doe jij?

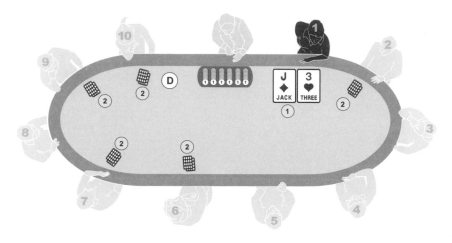

A. *Call*
B. *Fold*
C. *Raise*

Antwoord:

A. *Call*. Je zit in de *small blind* en je hoeft maar één chip te betalen om mee te gaan. Dus eigenlijk is het erg goedkoop om mee te gaan. Zelfs met deze hele slechte hand mag je *callen*.

A = +50
B = -30
C = -50
Bankroll =

Vraag 7:

Je zit op de *button* (laatste positie) met AA, de man *under-the-gun raist* en de vrouw rechts van je gaat mee. Wat doe je?

A. *Call*
B. *Fold*
C. *Reraise*

Antwoord:

C. *Reraise*. AA is de beste hand in het spel. Als je niet met AA *reraist*, met welke hand dan wel? Je wilt er zo veel mogelijk geld mee verdienen. Laat de anderen maar betalen om jouw superhand te verslaan. *Folden* is helemaal fout en komt bijna nooit voor (in zeer specifieke toernooisituaties kan AA worden *gefold* maar dit gaat te ver om hier te bespreken). *Callen* is minder fout, maar in deze situatie niet aan te raden. Je hebt de beste hand, dus probeer zoveel mogelijk geld in de *pot* te krijgen.

A = -20
B = -50
C = +50
Bankroll =

Vraag 8:

Je zit in *late* positie met *pocket* zessen, op tafel liggen vijf kaarten en op de *flop* en *turn* heeft niemand chips ingezet. De kaarten die op tafel liggen zijn Q, 8, 7, Q, 8, iemand zet in *early* positie in en verder gooit iedereen zijn kaarten weg. Jij moet als laatste je beslissing nemen. Wat doe je?

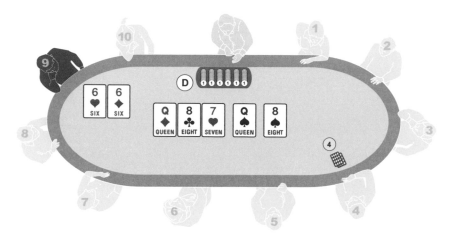

A. *Call*
B. *Fold*
C. *Reraise*

Antwoord:

B. *Fold*. Kijk goed naar de kaarten op tafel, welke vijf kaarten maken de beste hand? Precies, dat zijn de vijf kaarten die op tafel liggen. Je hebt weliswaar een paar in de hand maar door de laatste kaart (de acht) is jouw hand waardeloos geworden. 'You play the *board*' en het is waarschijnlijk dat je tegenstander (die zet op de *river* met nog een aantal mensen achter zich) hoger heeft dan jij. Met een acht of hoger in de hand verslaat hij jou. Een *reraise* zal er hoogstwaarschijnlijk niet voor zorgen dat je tegenstander zijn hand in de *muck* gooit. Een *reraise* in deze situatie is zeer riskant terwijl je er relatief weinig mee kan verdienen. Wacht rustig op een betere situatie.

A = -50
B = +50
C = -50
Bankroll =

Vraag 9:

Kijk naar de kaarten op het board.
Welke twee kaarten moet je in je handen hebben om te kunnen spreken van de absolute *nuts* (de hoogst haalbare combinatie van vijf kaarten)?

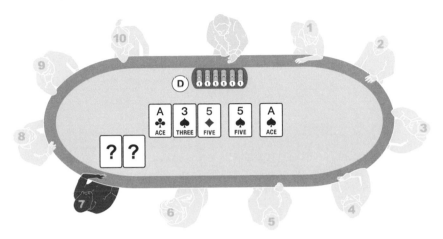

Antwoord:

A. 2s en de 4s voor een *straight flush* schoppen aas tot vijf. Een *straight flush* verslaat de vier azen. Deze situatie zal niet vaak voorkomen. Toch is het zaak om bij een superhand (zoals vier azen) altijd te controleren of je echt de absolute *nuts* hebt.

B. Een andere combinatie

A = +50
B = -50
Bankroll =

Vraag 10:

Kijk naar de kaarten op het board.
Welke twee kaarten moet je in je handen hebben om te kunnen spreken van de absolute *nuts* (de hoogst haalbare combinatie van vijf kaarten)?

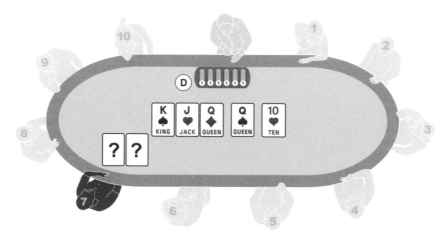

Antwoord:

A. QQ voor *four of a kind* van de vrouwen. In deze situatie is het onmogelijk om een *straight flush* (of zelfs een *royal flush*) te halen. Dus de vier vrouwen zijn in deze situatie de absolute *nuts*.

B. Een andere combinatie

A = +50
B = -50
Bankroll =

86

Vraag 11 (open vraag):

Kijk naar het board.
Welke twee kaarten moet je in je handen hebben om te kunnen spreken van de absolute *nuts* (de hoogst haalbare combinatie van vijf kaarten)?

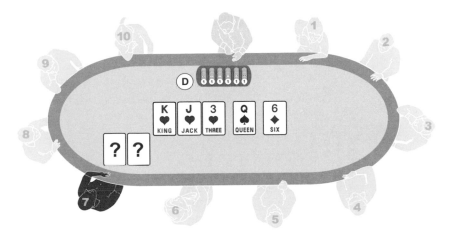

Antwoord:

A. De aas van harten met een willekeurige andere harten. Als jij de aas van harten hebt, maakt het in deze situatie niet zoveel uit welke harten je daarbij in je handen hebt. Twee harten in handen waaronder de aas geven jou de *nuts*!

B. De AQ van harten is ook de *nuts,* maar dan heb je de situatie niet volledig correct geanalyseerd. De vrouw van harten is niet noodzakelijk om de *nuts* te maken.

C. Een andere combinatie

   A = +50
   B = nul punten
   C = -50
   Bankroll =

Vraag 12:
kijk naar het board.
Welke van de volgende spelers heeft gewonnen?

    A. Speler A met 88 in de hand
    B. Speler B met A5 in de hand
    C. Speler C met KK in de hand
    D. Speler D met AQ in de hand

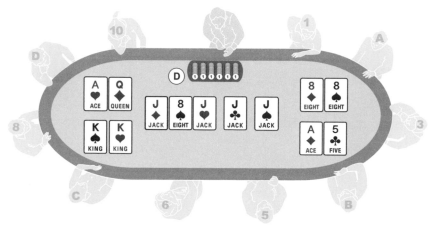

Antwoord:
Speler B en D winnen allebei, ze hebben allebei de *nuts* met de aas...
zij zullen de *pot* splitten

    B en D = +50
    Ander antwoord = -50
    Bankroll =

Vraag 13:

Je zit in de *big blind* met K9 *offsuit*. Zes mensen gaan mee voor de *flop* (er wordt niet *geraist*). De *flop* is Kh, Th, Ts, wat doe je?

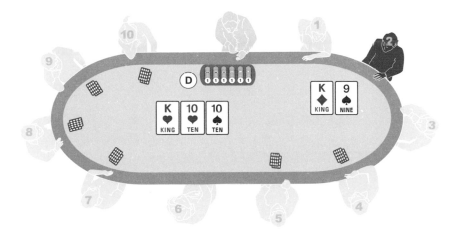

A. *Check*
B. *Bet*

Antwoord:

A) *Check*. Je hebt *top pair*, maar kijk eens goed naar het *board*, dit ziet er heel gevaarlijk uit. Er zitten nog zes mensen in de *pot* en je kunt er bijna van uitgaan dat iemand je heeft verslagen. De kans dat iemand een K heeft met een betere *kicker* of zelfs een T, is erg groot. Check en bekijk rustig wat er gaat gebeuren.

A = +50
B = -50
Bankroll =

Vraag 14:

Je besluit te *checken* en de man links van je zet en daarna *raist* iemand. De man op de *button* gaat mee en alle andere kiezen eieren voor hun geld en besluiten de handen weg te gooien. Wat doe je?

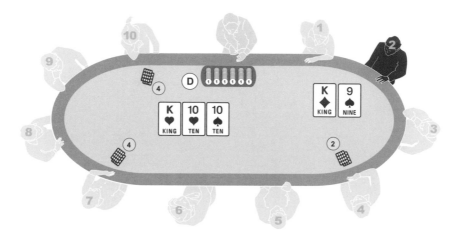

A. *Call*
B. *Fold*
C. *Reraise*

Antwoord:

B. *Fold*. Er is behoorlijk veel actie en de man op de *button* betaalt een *raise*! Hier gaat kracht vanuit, dus het is tijd om op te geven. *Reraisen* is zinloos: als iemand een tien heeft, een *flush*, *straight-draw* of een heer met een betere *kicker*, zal hij zijn hand niet weggooien. Een *call* is zeker niet goed. Als je hier *callt* ben je bijna verplicht om mee te gaan tot de *river* en zoals we al eerder constateerden is de kans groot dat je al bent verslagen.

A. *Call* = -50
B. *Fold* = +50
C. *Reraise* = -50
Bankroll =

Vraag 15:

Je hebt KT en je zit in *late* positie. De eerste twee mensen gooien hun kaarten weg maar de man in derde positie opent met een *raise*. Wat doe je?

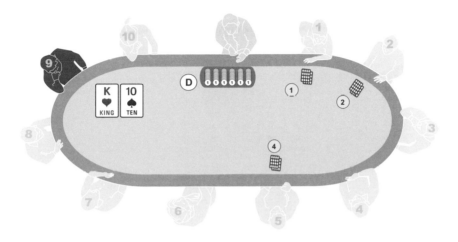

A. *Call*

B. *Fold*

C. *Reraise*

Antwoord:

B. *Fold.* Handen zoals AT en K9 en KT (*offsuit*) lijken heel sterk, maar eigenlijk zijn ze heel erg gevaarlijk. Vraag je dit maar af, met welke handen zal een standaardspeler verhogen vanuit *early* positie? Je moet dan al gauw denken aan AQ en hoger. Stel dat er een koning komt, hoe zeker ben je dan van je zaak? Als hij AA, KK, AK, of zelfs KQ heeft dan heb je een groot probleem. Je weet met deze hand bijna nooit waar je staat en waar je dus aan toe bent.

A. *Call* = -50

B. *Fold* = +50

C. *Reraise* = -50

Bankroll =

Vraag 16:

Kijk naar het board en je hand. Je zit in late positie. Op de *flop* en de *turn* heb je steeds gezet en twee mensen zijn met je meegegaan De *river* brengt de drie van harten en opeens zet de eerste man en *raist* de tweede, wat doe je?

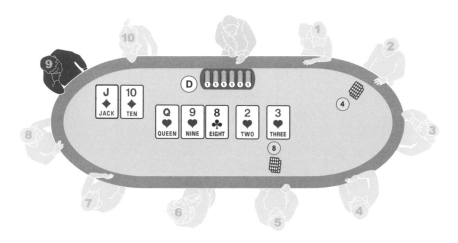

Wat doe je?

   A. *Call*
   B. *Fold*
   C. *Reraise*

Antwoord:

B. *Fold*. Dit is een erg vervelende situatie waar veel beginners de fout in gaan. Op de *flop* heb je de absolute *nuts* maar de *turn* en vooral de *river* gooit roet in het eten. Kijk eens goed naar het *board*, er liggen nu vier harten op tafel. Dit betekent dat indien één van de twee andere spelers een harten in zijn handen heeft, jij verslagen bent. Je hand is met de komst van twee hartenkaarten enorm in waarde gezakt en in deze situatie waardeloos te noemen. Wees gedisciplineerd en gooi je kaarten weg.

   A. *Call* = -50
   B. *Fold* = +50
   C. *Reraise* = -50
   Bankroll =

Vraag 17 (open vraag):

Je hebt AK*suited*. Je tegenstander heeft QT van schoppen. Hoeveel kaarten op de *turn* geven jou de hoogste hand?

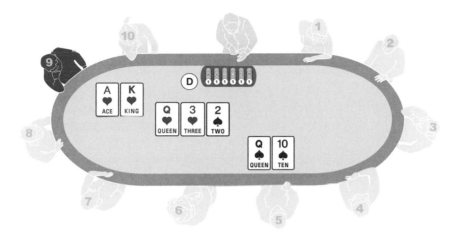

Antwoord:

Vijftien. In totaal heb je vijftien *outs* op de *turn*. Tel maar mee: drie heren, drie azen en negen harten. Dus vijftien kaarten zorgen ervoor dat je op de *turn* de hoogste hand hebt.

Vijftien = +50
Ander antwoord = -50
Bankroll =

Vraag 18 (open vraag):

Je hebt 76 *offsuit*. Kijk naar het board. Je tegenstander heeft AA.

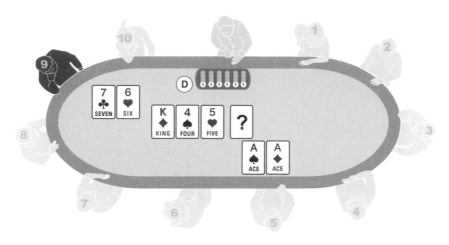

Antwoord:

Acht kaarten. Vier drieën en vier achten geven jou de hoogste hand.

Acht kaarten = +50
Ander antwoord = -50
Bankroll =

Je bent over de helft! Een kleine pauze is toegestaan.

94

Vraag 19 (open vraag):

Kijk naar het board en de handen. Hoeveel kaarten op de *turn* geven je de hoogste hand?

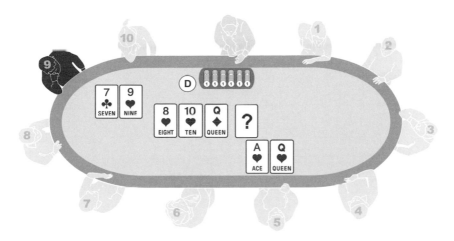

Antwoord:

Zes kaarten geven je de hoogste hand. Niet acht kaarten! De harten zes en de harten boer geven je tegenstander de aas hoog *flush*. Zulke zaken worden vaak over het hoofd gezien. Als er twee kaarten van dezelfde *suit* liggen, wordt het dus vaak wat minder aantrekkelijk om te *drawen* voor je straat. Dus wederom, bestudeer de opmaak van het *board* goed en bekijk of de kaarten waarvan jij denkt dat die goed zijn voor jou juist niet je tegenstander nog meer hebben geholpen.

Zes kaarten = +50
Ander antwoord = -50
Bankroll =

Vraag 20 (open vraag):

Je hebt *pocket* drieën in de hand. De *flop* is zeven, zeven, boer. Je tegenstander heeft AQ en hij kan geen *flush* maken. Hoeveel kaarten op de *turn* zorgen ervoor dat je tegenstander de hoogste hand krijgt?

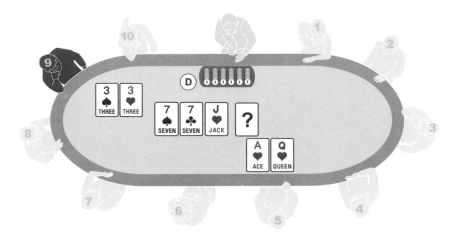

Antwoord:

Negen kaarten. Naast de drie azen en de drie vrouwen is er nog een kaart waar je bang voor moet zijn. Namelijk de boer. Een van de drie boeren zorgt er op de *turn* voor dat twee paar op tafel liggen. Beide paren zijn hoger dan dat van jou waardoor jouw paar niet meer als zodanig meetelt. Met een moeilijk woord wordt dit *counterfeit* genoemd.

Negen kaarten = +50
Ander antwoord = -50
Bankroll =

Vraag 21 (open vraag):

Je hebt *pocket* zevens. De *flop* is TTT. Je tegenstander heeft J9. Hoeveel kaarten maken hem de winnaar?

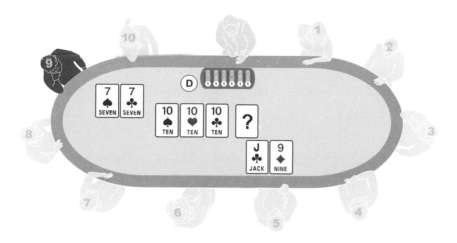

Antwoord:

Zeven kaarten. Drie boeren en drie negens geven je tegenstander een hogere *full house*. Maar ook de laatste tien is in dit geval een goede kaart voor je tegenstander. De tien zorgt ervoor dat er op het *board* een *four of a kind* komt te liggen. Je *full house* komt te vervallen. De hoogste hand die je op de *turn* kunt maken is: vier tienen met een zeven als hoogste kaart erbij. Je tegenstander heeft vier tienen met de boer en staat dus op dat moment voor.

Zeven kaarten = +50
Ander antwoord = -50
Bankroll =

Vraag 22 (Let op: deze vraag bevat 2 open vragen!):

Deze vraag heeft betrekking op de vorige en is erg lastig. Kijken of het je lukt! Na de *turn* liggen er vier tienen op tafel. Jij hebt 77 en je tegenstander heeft 9, J.

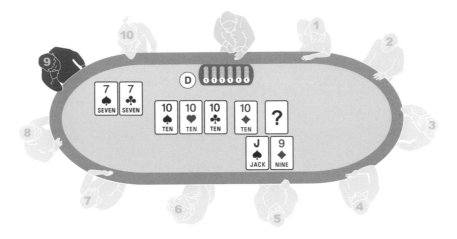

A. Welke kaarten maken jou de winnaar?
B. Welke kaarten zorgen voor een *split-pot*?

Antwoord:

A. Nul. Geen enkele kaart in het *deck* maakt jou de winnaar. De hele *pot* kan alleen maar gewonnen worden door een bluf! Een derde zeven helpt je niet omdat er op het *board* al een carré ligt.

Nul kaarten = +50
Ander antwoord = -50
Bankroll =

B. Vijftien. Alle overgebleven boeren (drie), vrouwen (vier), heren (vier) en azen (vier) zorgen voor een *split-pot*. In dat geval spelen jullie beiden dezelfde hand en zal na de *showdown* de *pot* worden verdeeld.

Vijftien kaarten = +50
Ander antwoord = -50
Bankroll =

Vraag 23 (open vraag):

Je hebt A5 in je hand. De *flop* is 6,7,8 en niemand heeft kans op een *flush*. Je tegenstander heeft *pocket* tienen. Hoeveel kaarten geven jou de hoogste hand?

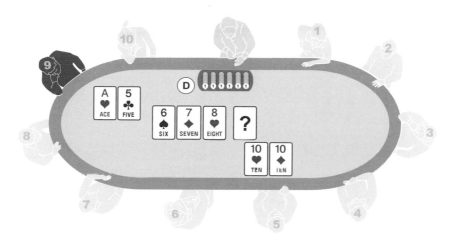

Antwoord:

Zeven kaarten. De drie azen geven jou een paar azen en de vier vieren geven je een straat! Let op: de negens geven je weliswaar een straat, maar je tegenstander maakt een hogere! Nogmaals, kijk goed naar het *board*. De negen lijkt een superkaart voor je hand, maar in feite graaf je er in dit geval je eigen graf mee. Natuurlijk weet je niet werkelijk wat je tegenstander in zijn hand heeft. Toch is het raadzaam om bij het bepalen van je *outs* zulke risico's mee te nemen. Is de negen wel een *out*? In dit geval dus niet. De negen is de cash card. (de kaart waardoor je opponent flink gaat winnen).

Zeven kaarten = +50
Ander antwoord = -50
Bankroll =

Vraag 24 (open vraag):

De *flop* is K, T, 6. Jij hebt K9 en je tegenstander heeft KT. Beide spelers kunnen geen *flush* maken. Hoeveel kaarten op de *turn* geven jou de hoogste hand?

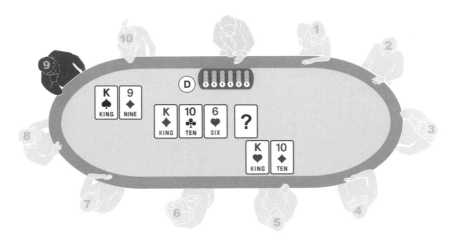

Antwoord:

Nul. Je tegenstander heeft al een *two pair*. Een negen op de *turn* geeft jou een lagere *two pair* en de K geeft je tegenstander een *full house*. Je kunt deze hand nog winnen door een wonder (bijvoorbeeld een negen op de *turn* en een negen op de *river*, of door een *miracle-straight* met bijvoorbeeld de J op de *turn* en een Q op de *river*). Zo zie je dat je zelfs met een *top pair* in grote problemen kunt raken.

Nul kaarten = +50
Ander antwoord = -50
Bankroll =

Vraag 25 (open vraag):

De *flop* is A, 2, 5. Jij hebt A3 en je tegenstander heeft AQ. Beide spelers kunnen geen directe *flush* maken. Hoeveel kaarten op de *turn* geven jou de hoogste hand?

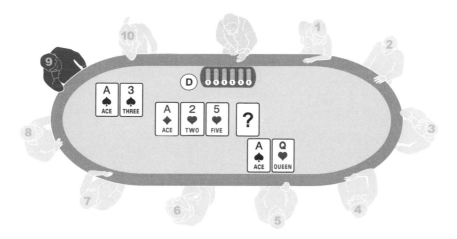

Antwoord:

Zeven. In totaal geven zeven kaarten jou de hoogste hand. Drie drieën en vier vieren. De drie geeft je *two pair* en de vier zorgt voor een straat van de aas tot de vijf. De aas telt in dit geval voor één. Deze straat noem je in pokertermen *the wheel*. Een aas op de *turn* geeft jullie beiden *three of a kind*, maar in dit geval heeft je tegenstander met de vrouw de beste hand.

Zeven kaarten = +50
Ander antwoord = -50
Bankroll =

Vraag 26 (open vraag):

Je hebt AK. De *flop* is J, 9, 8 en je tegenstander heeft KJ. Geen van beiden hebben kans op een *flush*. Hoeveel *turn*-kaarten geven jou op dat moment de beste hand?

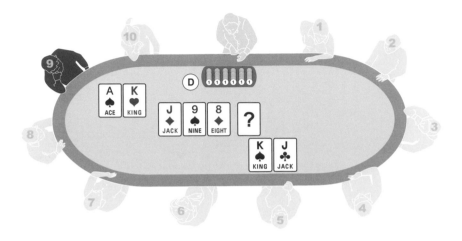

Antwoord:

Drie kaarten. Drie azen geven je de hoogste hand. Een heer op de *turn* brengt je in de problemen omdat je tegenstander dan *two pair* maakt.

Drie kaarten = +50
Ander antwoord = -50
Bankroll =

Vraag 27 (open vraag):

Je hebt T9 en de *flop* is Q, T, 9. Je tegenstander heeft QQ. Hoeveel kaarten geven jou op de *turn* de hoogste hand?

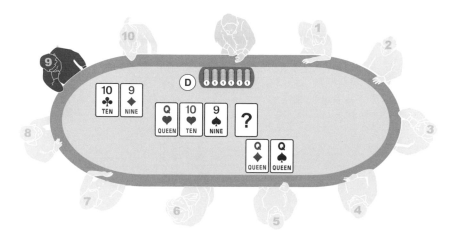

Antwoord:

Nul. Een tien of een negen geven je weliswaar een *full house*, maar je tegenstander maakt een hogere *full house*.

Nul kaarten = +50
Ander antwoord = -50
Bankroll =

Vraag 28 (open vraag):

Kijk naar de flop en de handen. Hoeveel kaarten geven jou de hoogste hand op de *turn*?

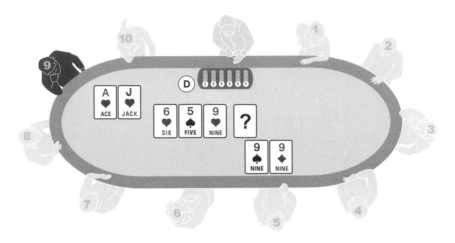

Antwoord:

Acht kaarten geven jou de hoogste hand! Er zitten nog negen harten in het *deck* maar de harten vijf geeft je tegenstander een *full house*.

Acht kaarten = +50
Ander antwoord = -50
Bankroll =

Vraag 29 (open vraag):

Je hebt 97 in de *big blind*. De *flop* is J, 5, 8. Hoeveel kaarten maken voor jou een straat op de *turn*?

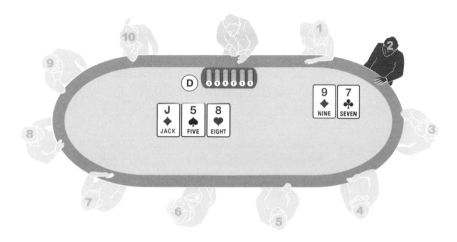

Antwoord:

Acht kaarten. De zes en de tien geven je een straat. Dit noem je een *double belly buster* (tweevoudige *inside-straight-draw*). Het grote voordeel van deze hand is dat je tegenstander je niet snel op deze hand zal zetten. Dus als je een straat maakt, heb je kans op een grote *pot*.

Acht kaarten = +50
Ander antwoord = -50
Bankroll =

Vraag 30 (open vraag):

Voor de *flop* hebben drie spelers 2 chips in de *pot* gedaan. Na de *flop* zet iemand 2 chips. De andere spelers verlaten het spel en jij mag als laatste bepalen wat je gaat doen. Welke *pot-odds* krijg je (uitgedrukt in een percentage)?

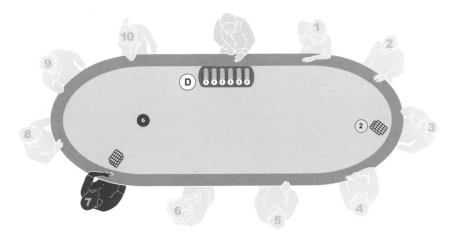

Antwoord:

20%. Voor de *flop* zijn er zes chips de *pot* in gegaan. Na de *flop* nog eens twee. Het kost jou twee chips om mee te gaan. Dus met twee chips van je eigen stapel kan je er tien winnen. Oftewel 2/10 of twintig procent.

Twintig procent = +50
Ander antwoord = -50
Bankroll =

Vraag 31 (open vraag):

Jij hebt 9h, Th, de eerste vier kaarten die op tafel verschijnen zijn de 8d, Jd, 2s en de 6h. Je tegenstander heeft Ah, Js. Hoeveel *outs* heb je op de *river* om deze hand te winnen?

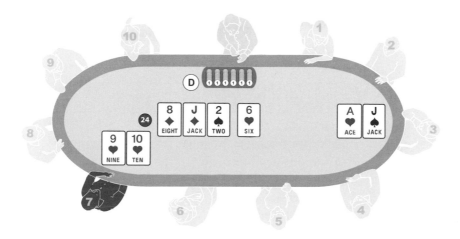

Antwoord:

Acht *outs*. Vier zevens en vier vrouwen maken jou de winnaar.

Acht *outs* = +50
Ander antwoord = -50
Bankroll =

Vraag 32a (open vraag):

Uitgaande van de situatie beschreven in de vorige vraag. Je tegenstander bet. In totaal liggen er 28 chips in de *pot*. Het kost jou vier chips om mee te gaan. Welke *pot-odds* krijg je in deze situatie (uitgedrukt in een percentage)?

Antwoord:

12,5%. Je moet vier chips investeren om aanspraak te kunnen maken op de 28 die al in de *pot* liggen. Dus 4/32 oftewel 12,5%.

12,5% = +50
Ander antwoord = -50
Bankroll =

Vraag 32b (open vraag):

Hoeveel procent kans heb je op de *river* om deze *pot* te winnen? Onderbouw je antwoord met een berekening!

Antwoord:

Zestien of zeventien procent. In totaal zijn er nog 46 kaarten in het *deck* die je nog niet kent (in de praktijk weet je natuurlijk niet zeker of je tegenstander harten aas, schoppen boer heeft). Van de 46 kaarten die nog op de *river* kunnen komen, maken er acht jou de winnaar. Dus 8/46 = 17%. Als je hier de keer-twee- vuistregel hebt toegepast rekenen we dat ook goed (8 x 2 = 16%).

Zestien of zeventien procent = +50
Ander antwoord = -50
Bankroll =

Vraag 33 (open vraag):

Is het verstandig qua *pot-odds* om deze *bet* te *callen*? Onderbouw je antwoord.

Antwoord:

Bij vraag 32a hebben we geconstateerd dat de *pot-odds* 12,5% zijn. Je hebt dus minimaal 12,5% kans nodig om te winnen, om deze *call* quitte te laten draaien. Deze 12,5% zou je volgens de 2/4 regel behalen bij iets meer dan zes *outs*. We hebben acht *outs*, dus het is noodzakelijk dat deze bet wordt *gecalld*.

Callen = +50
Niet *callen* = -50
Bankroll =

Vraag 34:

kijk naar je hand en de flop. Je hebt geen kans op een *flush* en vier mensen zetten in op de *flop* (je weet dat alleen de heer op de *turn* jou de winnaar maakt). In totaal zitten er 21 chips in de *pot* en het kost je 2 chips om mee te gaan. Jij mag als laatste beslissen of je meespeelt, wat doe je? Gebruik de *pot-odds* en het aantal *outs* om tot een antwoord te komen.

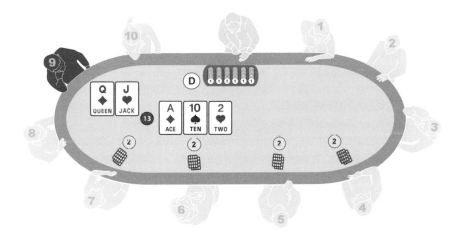

A. *Call*
B. *Fold*
C. *Raise*

Antwoord:

Call! Je *pot-odds* zijn 2/23 ≈ 9%. Dus je hebt ongeveer tien procent kans nodig om deze *call* op de *turn* quitte te laten draaien. Volgens de 2/4 regel zou je deze 9% behalen bij 4,5 *outs* of meer. Hoeveel *outs* hebben we in het bovenstaande voorbeeld? Vier, elke heer geeft jou de *nut-straight*. Dus mathematisch moeten we deze *call* NIET maken. Maar toch besluiten we hier te *callen!* Waarom? Dit zal uit de volgende vraag blijken.

A. *Call* = +50
B. *Fold* = 0
C. *Raise* = 0
Bankroll =

Vraag 35 (open vraag):

Waarom kiezen we in bovenstaande situatie toch voor de *call*?
Let op, dit hebben we nog niet behandeld in het boek, maar deze ge-avanceerde theorie willen we tot besluit toch met je delen. Er zijn dus ook geen punten te verdienen.

Antwoord:

Als je de koning *hit* op de *turn*, dan zul je bijna zeker nog een aantal extra chips winnen. Dit heet *implied odds*. Je maakt dan de *nut-straight* op de *turn*, en met nog vier andere mensen in de *pot* kun je zeker nog wat actie en dus extra chips verwachten. Deze *implied odds* rechtvaardigen je *call* op de *turn*.

Vraag 36 (open vraag):

De situatie is bijna gelijk aan die in de vorige vraag. Je zit wederom met QJ en op de *flop* ligt weer Ad,Ts,2h. Nu moet je echter als tweede persoon zeggen of je de inzet van de eerste speler betaalt. Er zitten nog twee mensen achter je die meedoen. Verandert dit de zaak? En indien ja, waarom?

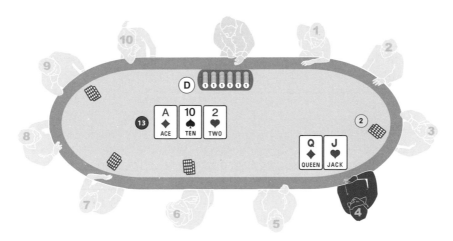

Antwoord:

Ja. De mensen achter je kunnen de *pot raisen* en daarna kan er zelfs *gereraisd* worden. Dit zou je *pot-odds* drastisch verslechteren. Met andere woorden: de kans is te groot dat je meer geld moet betalen om de *turn*-kaart te zien. Een *fold* is hier de beste optie.

Nee = -50
Ja, met verkeerde uitleg = nul punten
Ja, met juiste redenering = +50
Bankroll =

Totale *bankroll* =

Het zit erop! Je hebt nu 36 vragen gemaakt en voor 35 vragen heb je chips kunnen vergaren voor je *bankroll*. Nu gaan we bekijken of er een toekomst voor jou is weggelegd als pokerspeler. Natuurlijk moet je de uitkomst met een korreltje zout nemen. Maar als je een beginnende speler bent die voor de eerste keer inzicht heeft gekregen in het poker en je hebt de vragen serieus gemaakt, kun je er toch enige waarde aan hechten.

Wij willen benadrukken dat een goede pokerspeler niet hoeft te beschikken over mysterieuze kwaliteiten. Soms zie je een speler die de gedachten lijkt te lezen van zijn tegenstander. Dit komt als 'buitenaards' over, maar is eigenlijk het resultaat van logisch nadenken.
Tijdens het pokerspel krijg je een enorme hoeveelheid informatie. De speler die de meeste informatie kan opvangen om die daarna logisch te verwerken zal uiteindelijk de beste blijken. Hard studeren, ervaring opdoen, praten en denken over het spel, zullen er op den duur voor zorgen dat je sneller en beter informatie kunt opnemen en verwerken. Dat heeft tijd nodig.

Nu over naar de uitslag:

< 1000 = Je bent een *sucker*. 'If you can't spot the sucker within the first half hour, then you are the sucker.' Dit citaat komt uit de film 'Rounders' en het moge duidelijk zijn dat we niet de ambitie hebben om van jou een *sucker* te maken. Je weet dan echt nog te weinig van poker of je past het geleerde onvoldoende toe. Back to the books!!!! En waag je nog niet aan de tafels.

1000-1500 = Je bent een *fish*. Je kunt wel spelen maar de tegenstanders zijn blij als je bij ze aan tafel komt. Structureel zul je het spel verliezen.

1500-2000 = Je bent een *shaker*. Je hebt winst gemaakt, keurig! Je bent op de goede weg, maar je hebt nog veel te leren. We noemen je een *shaker* omdat je met deze score waarschijnlijk erg onder de indruk bent van hetgeen er gebeurt aan een pokertafel. Dit kan nog wel eens resulteren in trillende handen!

2000-2700 = Je bent een *player*. Je hebt je *bankroll* behoorlijk weten uit te bouwen. Het gaat de goede kant op. Waarschijnlijk kun je in het echt al behoorlijk meekomen. Men kan je zien als een speler met wie rekening gehouden moet worden.

2700-2750 = *A shark*. Als je in deze categorie zit, ben je heel goed op weg. Je begrijpt de beginselen en je weet ze al goed toe te passen. Een bezoek aan het casino kan geen kwaad! En je hebt het in je om door de tegenstanders gevreesd te worden.

Wat voor score je ook hebt behaald, je bent op de goede weg! Je hebt de moeite genomen om dit boek te kopen en door te lezen. Besef dat een groot deel van je toekomstige tegenstanders nooit de moeite zal nemen om zich ook maar in de eenvoudigste basisprincipes van dit prachtige spel te verdiepen. Dus op het gros der spelers heb je al een aardig streepje voor!
Maar natuurlijk mag je nooit vergeten wat we al in de inleiding hebben geciteerd: 'Poker takes a minute to learn, but a lifetime to master!' Kortom: hou nooit op met leren en geniet van het spel.

We wensen je heel veel plezier aan de pokertafel!

Nawoord

Top! Je bent al bij het nawoord aanbeland, dus de deur naar heerschappij over het groene laken staat in ieder geval op een kier. Hopelijk heb je goed gescoord in de vragenronde, maar wees eerlijk tegenover jezelf wat betreft de onderdelen die je nog eens door moet nemen. Sommige concepten worden ons nu eenmaal niet in één keer duidelijk en herhaling komt het begrip ten goede. Vrijwel iedere succesvolle pokerspeler heeft de leerstukken van *odds* en *outs* en wat dies meer zij keer op keer op keer bestudeerd, want aan tafel moet je alles niet goed, maar vaak ook vrij snel kunnen toepassen.

Maar goed, een beetje oefening kan natuurlijk ook geen kwaad en waarschijnlijk sta je te trappelen om je kersverse pokerskills eens op de proef te stellen! Zoals we eerder hebben verteld, hebben we ook daaraan gedacht: achterin dit boek vind je een cd-rom met daarop software van de pokerroom Everest Poker, waar je via het internet met fictief geld kunt oefenen tegen echte spelers. En nog in het Nederlands ook. Spannend? Absoluut, maar niet ingewikkeld en ook nog eens veilig. Alleen het aanmaken van een account kost wat tijd (een paar minuten), daarna meet jij je voor je het weet met spelers uit de hele wereld, aan een virtuele tafel. Dit is de manier bij uitstek om vertrouwd te raken met online poker en je theoretische vaardigheden in de praktijk toe te passen.

En? De smaak al te pakken gekregen? Binnen een half uurtje kun je aan een tafel zitten! Hier volgt een uitleg, zodat je binnen enkele ogenblikken kunt beginnen met online poker spelen.

Everest Poker is op dit moment een van de beste pokerrooms om te beginnen. Om hier te kunnen gaan spelen kun je de volgende uitleg volgen.

1. Stop de cd die bij dit boekje zit in je computer. Kies voor de optie 'Oefen poker bij Everest Poker'.

2. Everest gaat nu installeren, wacht dit af. In het volgende scherm kun je de taal kiezen. Standaard staat Nederlands ingesteld.

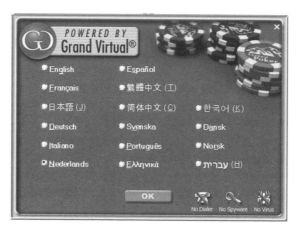

3. Everest start nu, klik op 'Start Handleiding' als je helemaal nieuw bent in het pokerspel. Je krijgt dan een uitleg van de basis van het spel. Als deze voorbij is kun je gewoon verder gaan bij stap vier. Je kunt ook klikken op 'Nee Bedankt'.

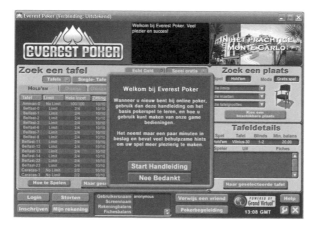

4. Je komt nu in het inlogscherm van Everest Poker. Klik hier onder 'Nieuwe spelers' op Registeren.

5. Vul bij screennaam een alias in waaronder je wilt spelen. Dit is een naam die je als spelersnaam gebruikt, je mag deze helemaal zelf verzinnen. Selecteer vervolgens land, geslacht, leeftijd en taal. Bij virtueel persoon kun je invoeren of je speler man of vrouw is. Normaliter is dit hetzelfde als wat jij bent. Klik, als je alles ingevuld hebt, onderaan op 'Inschrijven'.

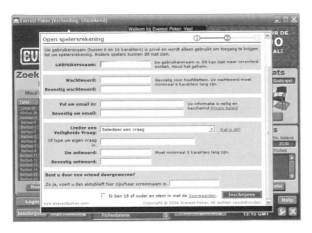

6. In het volgende scherm moet je wederom een aantal dingen invullen.
   Gebruikersnaam: dit is de naam die je gebruikt om in te loggen bij

Everest Poker. Deze kan niet hetzelfde zijn als je spelersnaam. Bedenk een makkelijk te onthouden naam en onthoud deze goed.

Wachtwoord: het wachtwoord verschaft je, in combinatie met de gebruikersnaam, toegang tot Everest Poker. Vergeet dit niet en bewaar dit nooit samen met je gebruikersnaam. Je moet het wachtwoord twee keer intypen ter controle.

Vul je e-mail in: typ hier je e-mailadres. Dit moet een geldig e-mailadres zijn. Typ dit weer twee keer in ter bevestiging.

Creëer een veiligheidsvraag: hier kun je een vraag selecteren waar alleen jij het antwoord op weet. Dit is voor Everest Poker de manier om zeker te zijn dat ze met de juiste persoon van doen hebben, mocht je je wachtwoord vergeten. Je moet het antwoord weer twee maal intypen ter bevestiging.

Het doorverwijzingsveld mag je open laten.

Klik vervolgens het vinkje aan bij 'Ik ben achttien of ouder en stem in met de voorwaarden'. Voor poker op internet moet je echt minimaal achttien zijn, anders ontstaan er problemen. Als je dit allemaal gedaan hebt, controleer alles dan nog een keer goed en klik op 'Inschrijven'.

7. Log vervolgens in met je zojuist gemaakte gebruikersnaam en wachtwoord. Als je de enige bent die deze computer gebruikt, kun je ook het vinkje bij 'Onthoud mijn gebruikersnaam op deze computer' aanzetten. Klik vervolgens op 'Log in'.

8. Je kunt nu een veiligheidsmelding krijgen van Everest Poker. Ze vertellen je dat je voorzichtig met je paswoord om moet gaan. Lees dit even door en klik vervolgens op 'ok'.

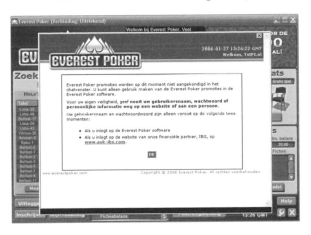

9. Je komt nu in de laatste fase van de aanmelding terecht. Vul hier het volgende in:
Naam: Je echte naam.
Straat adres(eerste regel): Je adres.
Naam plaats: Je woonplaats.
Provincie: De provincie waarin je woont.
Land: Kies het land waarin je woont.
Postcode: Typ de postcode in van je huisadres.
Telefoon: Typ je telefoonnummer in inclusief +31 en laat de eerste nul van je telefoonnummer weg. Is je telefoonnummer bijvoorbeeld 0201234567, dan typ je hier +31201234567.
Controleer alles nog een keer goed en druk op 'Voltooien'.

10. Je Everest Rekening is nu volledig aangemeld. We bevelen je van harte aan te oefenen op de speelgeldtafels. Het is een uitstekende en gratis leerschool. Om mee te doen met een tafel moet je op een van de tafels in de lijst dubbelklikken.

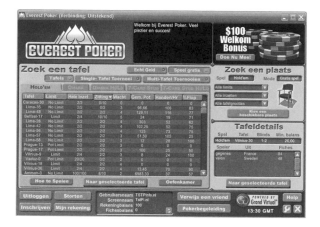

Natuurlijk zouden we het leuk vinden als je ook eens een kijkje neemt op www.pokerinfo.nl. Nederlands grootste pokercommunity groeit met de dag harder en hoewel men in de fora driftig discussieert over de meest uiteenlopende zaken, voert poker uiteraard de boventoon.

Inmiddels is 'pokerinfo' door meer dan een miljoen mensen bekeken en genereert de site zo'n 3000 unieke hits per dag. De bijna 500 dagelijkse forumposts staan in schril contrast met de start van de site in 2003 (dertig hits per dag was veel), maar nog steeds heerst in het forum een zeer gemoedelijke sfeer. PI'ers (zoals we de forumgebruikers noemen) schieten elkaar graag te hulp bij vragen en er verschijnen met regelmaat artikelen door en voor PI'ers.

Door deel te nemen aan de discussies over strategie, vragen te stellen over handen die je hebt gespeeld en het lezen van de reacties van anderen kun je écht een heleboel leren, dus maak gerust een account aan en stel je even voor in de nieuwe-leden-sectie. Je zult zien dat je hartelijk welkom wordt geheten, en het maakt niets uit of je een complete beginner bent of een doorgewinterde pro. Blijf natuurlijk wel altijd beleefd en denk eraan dat het forum een zoekfunctie heeft. Héél veel vragen zijn al vaker gesteld, door even te zoeken op een trefwoord kun je een schat aan informatie opgraven. Uiteraard zijn op het forum moderators actief die een oogje in het zeil houden en nieuwe posters graag op weg helpen.

Tot slot spreken we nogmaals de hoop uit dat jij net zoveel plezier gaat beleven aan het spelen van poker als de schrijvers van dit boek. Daarbij is het absoluut van belang dat je lekker in je vel zit wanneer je speelt, zoals we al in de 'tien geboden' hebben verwoord. We willen dat nogmaals onderstrepen, want volgens ons is het niet alleen zo dat een goede instelling tot goed spel leidt, maar is het even waar dat een slechte instelling zich negatief uit in je spel. En dan ligt een neerwaartse spiraal op de loer. Dat moet je uiteraard vermijden, maar als je de tien geboden ter harte neemt zal dat lukken. Met je nieuwe vaardigheden plus enige oefening sta jij hopelijk aan het begin van een opwaartse spiraal, die zal leiden tot een hoop plezier, geluk en winst aan de pokertafel en eromheen!

Flop the nuts!

Begrippenlijst

In het boek spreken we over bepaalde kaartcombinaties.
De letters A (aas), K (heer), Q (vrouw), J (boer), T (tien), en de cijfers 2-9 geven de waarde van de kaarten, de kleine letter die volgt geeft de soort aan, hierbij staat de s voor schoppen (*spades*), de c voor klaveren (*clubs*), de d voor ruiten (*diamonds*) en de h voor harten (*hearts*).

Add-on   In een pokertoernooi eenmalig extra chips bijkopen, aan het eind van de *rebuy*-periode.

A-game   Je beste pokerspel spelen

All-in   Al je geld dat je nog voor je hebt staan inzetten.

Ante   Een verplichte kleine inzet voor iedere speler.

Bad Beat   Een *pot* die je verliest tegen alle statistische waarschijnlijkheid in.

Bankroll   Het geld dat je beschikbaar hebt om mee te pokeren. Dit is het werkkapitaal voor een pokerspeler.

Betten   Tijdens een inzetronde als eerste een inzet plaatsen.

Big blind   De grote *blind* is de tweede verplichte inzet, voordat de kaarten gedeeld worden.

Blank   Een kaart die op de *turn* of de *river* valt, die geen van de spelers zal helpen.

Blind	Een verplichte inzet aan het begin van het spel voor de twee spelers die links naast de *button* zitten.
Bluffen	Een inzet maken met een hand die je anders niet zou winnen.
Board	De gemeenschappelijke kaarten die open op tafel liggen.
Brush	De manager van de *card-room* in het casino.
Bubble	De laatste speler die uit een pokertoernooi vliegt, zonder prijzengeld te krijgen.
Burncard	De bovenste kaart die de *dealer* dicht weglegt voordat er een of meerdere *community-cards* worden opengedraaid. Diende van oudsher als bescherming tegen gemarkeerde kaarten.
Button	De speler op de *dealerbutton* mag elke inzetronde na de *flop* altijd als laatste handelen.
Buy-in	Wat je inlegt om aan een pokertoernooi te mogen meedoen. Ook het minimale bedrag dat je moet meebrengen om aan een cash-tafel te mogen deelnemen.
Callen	Meegaan met een inzet.
Cappen	De laatst toegestane *raise* maken.
Checken	Niet inzetten als het jouw beurt is. Dit kan als er nog niet ingezet is door een andere speler.
Check-raise	*Checken* om daarna te verhogen als iemand anders een *bet* heeft geplaatst.
Chip-stack	De hoeveelheid chips waarover een speler beschikt.
Community-cards	De kaarten van de *flop*, *turn* en *river* die in het midden worden opengedraaid, die door elke speler zijn te gebruiken.

Counterfeit	Je hand is counterfeit als het board een hogere combinatie vormt dan met jouw kaarten bereikt kan worden. Zo worden pocket zessen waardeloos als het board 9,9,T,T,A is.
Crushen	Aanstampen: de tafel totaal beheersen en je tegenstanders verpletteren.
Cut-off	De positie voor de *button*.
Dealer	De persoon die de kaarten dealt en die toeziet op een eerlijk verloop van het spel.
Deck	Een spel van 52 kaarten.
Double belly-buster	Een dubbele *inside-straight-draw*.
Draw	Een hand die nog hulp nodig heeft om te winnen.
Early position	De twee plaatsen links van de *big blind* in een pokerspel van tien spelers.
Fish	Een speler die niet goed kan pokeren.
Flop	De eerste drie gemeenschappelijke kaarten die op tafel worden gelegd.
Flush	Vijf kaarten van dezelfde *suit*.
Fold(en)	Je kaarten weggooien.
Four of a kind	Carré, ook wel quads genoemd. Vier kaarten van dezelfde waarde.
Freeroll	Er zijn online pokersites, zoals bijvoorbeeld www.everestpoker.net, waar je een pokertoernooi kunt spelen zonder dat je hiervoor geld hoeft in te leggen om mee te mogen doen.

Full ring	Een pokerspel waarbij alle tien spelers aan tafel zitten.
Gerivered	Als je op de laatste kaart verslagen wordt.
Hand selectie	De strategie die bepaalt met welke starthanden je meespeelt.
Heads-up	Twee spelers die tegen elkaar spelen in een *pot*.
High-card	Een hand zonder ook maar een pair, waarvan de waarde wordt bepaald door de hoogste kaart van de vijf.
Hit	Met hitten wordt bedoeld het 'vangen' van de kaart die je nodig hebt voor je hand.
Inside-straight-draw	Een hand bestaande uit vier kaarten waarbij een tussenliggende kaart een straight zou maken. Bijvoorbeeld 7-8-9-J; door een T te hitten maak je een straight 7-J.
Implied odds	Het mee (mogen) rekenen van bets die nog zullen worden toegevoegd aan de *pot* bij het berekenen van *pot-odds*.
Home-game	Een kaartje leggen bij iemand thuis.
Kicker	Dit is de bijkaart.
Klikken	Online poker spelen.
Late position	De *cut-off* en de *button*positie.
Limpen	De *big blind callen* in plaats van *raisen* voor de *flop*.

Loose	*Loose* is de term waarmee je een speler omschrijft die te veel handen speelt. Dit is het tegengestelde van *tight*, iemand die weinig (maar kwalitatief goede) starthanden speelt.
Middle position	De derde tot en met vijfde positie na de *blinds* aan een tafel met tien spelers.
Miracle-card(s)	Het vormen van een onwaarschijnlijke hand, door het vangen van twee opeenvolgende benodigde kaarten (waarop weinig kans bestond).
Money management	Het beheren van je poker-bankroll.
Mucken	Je hand weggooien.
Multi-tabling	Op het internet aan meerdere tafels tegelijkertijd spelen.
No-limit	Een inzetstructuur waarbij er geen maximum is aan wat je kunt inzetten.
Nuts	De best mogelijke hand op dat moment die je kunt hebben. Ook wel een lock of stone-cold nuts genoemd.
Off-suit	Twee kaarten van een verschillende *suit*.
Open-ended-straight-draw	Een hand met vier kaarten in opeenlopende waarde, waarmee je een straight kan maken door een kaart te hitten aan 'beide zijden', bijvoorbeeld 7-8-9-T, waarmee je door het vangen van een 6 of een J een straight maakt.
Outs	De kaarten die je hand nog kunnen verbeteren en nog in het *deck* zitten.
Overcards	Twee verschillende kaarten hebben die hoger zijn dan de kaarten die op tafel liggen

Overpair	Een paar hebben (in je hand) dat hoger is dan de kaarten die op tafel liggen.
Pair	Een paar zijn twee kaarten van dezelfde waarde, bijvoorbeeld twee heren.
Player	Letterlijk een speler, maar in pokertermen een speler waarvan je weet dat hij goed meekomt aan de tafel. Géén fish, maar ook geen gevaarlijke shark.
Play-money	Het spelen met speelgeld op een online pokersite zonder een financieel risico te lopen.
Pockets	Een paar in je hand.
Pokerchips	De muntjes die de inzet van het pokerspel vertegenwoordigen.
Positie hebben	Het voordeel dat je geniet door later aan de beurt te zijn dan je tegenstander, waardoor jij op zijn acties kunt reageren.
Pot	Het geld dat in het midden van de tafel ligt en waarom gespeeld wordt.
Pot-odds	De grootte van de inzet in verhouding tot de grootte van de *pot*.
Pre-flop	De eerste inzetronde.
Rainbow	Als alle kaarten van verschillende *suit* zijn.
Raisen	De inzet verhogen.
Rake	Een percentage van de *pot*, dat het casino uit elke *pot* haalt.
Ranking	De rangorde van de handcombinaties.

Read	Door waarneming informatie over de hand van je tegenstander winnen.
Rebuy-period	In sommige pokertoernooien kun je tijdens de beginperiode opnieuw chips bijkopen als je geen chips meer hebt.
Re-raisen	Nog een keer verhogen, nadat iemand anders al *geraisd* heeft.
River	De vijfde en laatste gemeenschappelijke kaart op tafel.
Royal flush	De hoogst mogelijk hand in Hold'em, gevormd door de tien, boer, vrouw, heer en aas van één suit. Zeer zeldzaam, en een gegarandeerde winner.
Runner-runner	De vierde en de vijfde kaart zorgen ervoor dat je de winnende hand hebt.
Shaker	Een speler die de beginselen begrijpt, maar zonder ervaring. Vandaar dat hij of zij nog wat zenuwachtig is en/of timide speelt.
Shark	Een speler met een goed spelbegrip, die gevaarlijk is voor fish.
Short-handed game	Een tafel waar zes of minder spelers aan zitten.
Showdown	Het moment dat de kaarten geopend worden na het einde van de hand.
Side-pot	Als een speler *all-in* is gegaan en geen geld meer heeft om de vervolg-*betten* te betalen, wordt er een *side-pot* gecreëerd. De speler die *all-in* gegaan is, kan alleen de hoofd*pot* winnen en de rest van de spelers kan zowel de hoofd- als *side-pot* winnen.

Small blind	De kleine *blind* is de eerste verplichte inzet, voordat je kaarten gedeeld krijgt.
Stack	De chips die je voor je hebt liggen aan tafel.
Starting hand	De kaarten waarmee je een hand begint. Ook wel je hole-, of downcards.
Straight	Een straat, ofwel vijf kaarten in opeenlopende waarde, bijvoorbeeld 7 tot J.
Straight flush	Een straat waarvan alle kaarten uit één suit bestaan. Zeldzaam.
String-bet	Inzet die als *call* gezien wordt omdat niet de juiste procedure gevolgd is bij het maken van een *raise*.
Suited	Kaarten van dezelfde soort (zoals van schoppen, harten, ruiten en klaver).
Three of a kind	Drie kaarten van dezelfde waarde. Ook wel trips (met twee op het board, en één in je hand) of set (met twee in je hand, en één op het board) genoemd.
Tilt(en)	Een speler die controle over zijn emoties verliest en daardoor slecht gaat spelen.
Turn	De vierde gemeenschappelijke kaart.
Two pair	Twee paren van kaarten van dezelfde waarde.
Under-the-gun	De positie direct links naast de grote *blind*.
Wheel	De laagst mogelijke *straight*, gemaakt door de Aas (die ook als '1' telt) tot en met de vijf.
World Series of Poker	Het officieuze wereldkampioenschap poker.